Victoire Tuaillon, diplômée de Sciences Po Paris, a travaillé trois ans au JT de France 2, élevé des chèvres dans une communauté andalouse, lu des centaines d'ouvrages pour une émission littéraire télévisuelle, et est aujourd'hui rédactrice en chef à Binge Audio. Convaincue que le savoir nous aide à vivre, elle imagine et réalise des projets variés qui ont tous un point commun : faire entendre et circuler la pensée des chercheurs·es et des intellectuel·les.

Victoire Tuaillon

LES COUILLES SUR LA TABLE

Binge Audio Éditions

Illustrations
Sébastien Brothier avec l'aide de Léonie Brothier,
Clarisse Pillard et Gregory Trowbridge pour Upian

ISBN 978-2-7578-9255-8

« Le féminisme est une aventure collective,
pour les femmes, pour les hommes, pour les autres.
Une révolution, bien en marche. Une vision du monde,
un choix. Il ne s'agit pas d'opposer les petits avantages
des femmes aux petits acquis des hommes,
mais bien de tout foutre en l'air. »

Virginie Despentes, *King Kong Théorie*

INTRODUCTION

« Les hommes qui luttent activement
contre le sexisme ont une place
dans le mouvement féministe.
Ils sont nos camarades. »

bell hooks, *De la marge au centre*, 1984

« I like big boys, itty bitty boys,
Mississippi boys, inner city boys,
I like the pretty boys, I like a big beard,
I like a clean face, I don't discriminate,
come and get a taste. »

Lizzo, *Boys*, 2019

Ceci n'est pas un manuel pour apprendre à être un homme, un vrai. Ce n'est pas non plus un pamphlet contre une entité abstraite qui s'appellerait "les hommes", et qu'on mettrait tous dans le même sac. Et ce n'est pas un point de vue personnel sur la masculinité que j'aurais tiré d'observations plus ou moins inspirées de mon entourage proche. Ce livre est une tentative de synthèse des centaines de travaux – articles, thèses, essais, documentaires – concernant la masculinité, les hommes et la virilité, que j'ai eu la chance de lire dans le cadre de mon travail.

Je suis journaliste. Depuis deux ans, dans une émission diffusée en podcast, *Les Couilles sur la table*, je m'entretiens pendant une quarantaine de minutes avec des spécialistes d'une question liée à la masculinité. Ielles sont universitaires, artistes, chercheur·es. Au moment de la rédaction de cet ouvrage, quarante-six épisodes ont été diffusés.

Je suis féministe, c'est-à-dire : je crois à cette idée révolutionnaire que les femmes sont des êtres humains. Je veux, et je crois que c'est possible, que quel que soit notre genre, nous puissions mener des vies libres et heureuses, à égalité. Je suis convaincue que cette question des rapports de genre, et donc de la masculinité, nous concerne absolument toutes et tous, dans tous les aspects de notre vie.

En tant que femme, j'ai été marquée, dès le plus jeune âge, par la violence de genre ordinaire. Comme beaucoup, j'ai par exemple été harcelée et insultée dans la rue, à peine sortie de l'enfance. En grandissant dans les années 1990, j'ai été aussi marquée par l'époque, par ce que je voyais du monde – les soldats responsables des massacres de la guerre du Kosovo, les terroristes islamistes, les lycéens qui mitraillaient leurs camarades aux États-Unis, les tueurs en série, les violeurs et les pédocriminels dans les journaux télévisés, les films et les livres : des hommes, encore et encore. La première question qui m'obsède donc depuis longtemps, c'est celle du sens de la violence. Pourquoi, partout dans le monde, ces violences sont-elles majoritairement commises par des individus de genre masculin ?

Enfant, puis adolescente, je nous sentais, toutes et tous, enfermé·es dans des rôles qui ne nous convenaient pas vraiment ; moi et mes copines, sommées de ravaler notre rage, d'être plus douces, plus arrangeantes ; ceux qui se faisaient casser la gueule à la sortie des cours, les "sale pédé ! " entendus à toutes les récrés, les claques... Cette grande mascarade me troublait. Mais le seul discours sur les hommes auquel j'étais exposée était celui des magazines féminins, dont je raffolais, qui nous apprenaient à comprendre ce que les hommes aimaient et ce qu'ils attendaient de nous.

Tout s'est éclairé quand j'ai eu seize ans : ma grande sœur m'a offert *King Kong Théorie*, l'essai féministe de Virginie Despentes, qui venait juste d'être publié. Ce livre a changé ma vie. Je peux encore en citer des passages par cœur aujourd'hui, comme celui-ci : « La virilité traditionnelle est une entreprise aussi mutilatrice que l'assignation à la féminité. » C'était tellement limpide, et tellement fidèle à ce que je voyais partout autour de moi : des filles qui se résignaient parfois joyeusement à la soumission et à la docilité ; des garçons bien souvent incapables d'intimité émotionnelle avec leurs amis les plus proches, brutaux et violents par habitude, pour l'image, mais qui retenaient leurs larmes et qui, terrifiés, cachaient leur vulnérabilité. Car ce qu'on apprend encore aujourd'hui aux garçons, de mille et une manières, c'est qu'ils se dévaloriseraient en adoptant des attitudes ou des activités codées comme féminines. La deuxième grande question de ce livre, c'est donc celle de ces stéréotypes et de ces injonctions viriles.

La domination masculine reste une évidence. La question de savoir quand et comment elle a commencé est passionnante, mais ce n'est pas l'objet de ce livre. Rappelons seulement trois choses : elle a des racines extrêmement anciennes, de plusieurs millénaires, et semble s'appliquer dans toutes les cultures ; il n'a jamais existé d'équivalent inverse du patriarcat (à aucune époque, les femmes n'ont eu le droit de mutiler, tuer, enfermer, agresser les hommes) ; enfin, cette domination est structurelle – à la fois économique, symbolique et culturelle.

Personne n'y échappe ; personne ne grandit en dehors de l'ordre du genre ; c'est comme l'air qu'on respire. La domination masculine n'est pas non plus une réalité librement consentie. Toustes, nous débarquons dans une culture déjà constituée. Nous en sommes les produits, et nous la produisons par nos pratiques et nos existences. Même si, formellement, les femmes ont dans quelques pays du monde obtenu les mêmes droits que les hommes, aucune société n'a encore atteint l'égalité entre femmes et hommes. Les êtres humains qui possèdent les richesses, qui gagnent le plus d'argent, qui détiennent le pouvoir économique, politique, culturel, restent pour la grande majorité de genre masculin. Enfin, pour qu'il n'y ait aucune ambiguïté, à propos du cliché tenace qui veut que les féministes détestent les hommes, il me faut préciser : je ne considère pas que les hommes sont les ennemis des femmes. C'est justement parce que j'aime les hommes, que je crois en la possibilité de vivre des relations égalitaires, que je suis féministe. Ce n'est pas une guerre entre les femmes et les hommes, au contraire : en luttant contre le sexisme, le féminisme est peut-être notre seul espoir de rendre la vie ensemble vivable. Sans que personne ne domine l'autre.

Je suis moi aussi, par certains aspects, du côté de la domination. Je suis cisgenre, c'est-à-dire que je m'identifie au genre (féminin) qui m'a été assigné à la naissance. Cela explique en grande partie pourquoi, jusqu'à récemment, je suis restée ignorante des discriminations et de l'oppression subies par les personnes trans. Je m'identifie comme hétérosexuelle, qui est l'orientation favorisée, valorisée et encouragée par toute la société. J'ai grandi en France comme une femme blanche – la police ne m'a jamais contrôlée dans la rue, je n'ai jamais eu à subir de remarques racistes, je ne me suis pas vue refuser d'emploi ou d'appartement en raison de mon nom, de ma couleur de peau ou de mes origines supposées. J'ai bénéficié des privilèges des classes sociales supérieures : mon père était médecin généraliste, ma mère guide de voyage. Ils étaient séparés ; l'une et l'autre maison étaient toujours pleines de livres, et le langage, la culture et les valeurs y étaient celles récompensées par l'institution scolaire. Bénéficiant de ces privilèges de classe et de race, j'en étais inconsciente, car comme bien des privilèges ils sont invisibilisés : dans ma famille, nous étions bien plus persuadés que ces bons bulletins que je ramenais chaque trimestre à la maison étaient dus à des "dons" innés, ou à mon travail.

Ce n'est que plus tard que j'ai commencé à saisir qu'un ensemble de pratiques, de valeurs et de conditions matérielles liées à ma classe sociale avaient largement favorisé ma "réussite" scolaire.

Comprenant l'importance de penser ensemble toutes les logiques de domination – le genre, la classe, ce qu'on appelle en sociologie la race, mais aussi l'âge ou la sexualité – je veux donc aussi comprendre la domination de certains hommes sur d'autres hommes : c'est la troisième grande question de ce livre. Tous les hommes sont en position de domination, mais ils le sont plus ou moins. Ce n'est pas la même chose d'être un jeune homme dans un milieu populaire en ville, d'être un jeune de cité, ou d'être élevé dans un milieu rural. Parce que la masculinité blanche, hétérosexuelle, riche, celle, disons, du "jeune cadre dynamique" ne donne pas les mêmes avantages dans notre société que celle d'un homme gay pauvre, ou celle d'un ouvrier noir qui vit en banlieue – l'État, la police, la justice, les médecins, les employeurs, les propriétaires, etc. ne vont pas les traiter de la même manière. Et ces normes changent selon le contexte, selon l'époque, les pays... mais sans que ça ne remette jamais en cause la domination masculine. Étudier les masculinités, c'est donc tenter aussi de prendre en compte toutes les autres logiques de pouvoir. Comment se construisent les masculinités dans un milieu rural populaire ? Qu'est-ce que ça veut dire, en termes de masculinité, d'être un homme noir en France au XXe siècle ? Qu'est-ce que ça veut dire d'être un homme trans ?

Toutes les questions de genre, en fait, sont des questions politiques. C'est bien une lecture politique des questions liées à la masculinité qui a nourri le podcast – et maintenant, ce livre. Par exemple, dans le monde du travail : pourquoi malgré les lois, malgré les accords de principe, les positions de pouvoir sont-elles toujours en majorité occupées par des hommes ? Et pourquoi continuent-ils à être mieux payés ? Dans la sphère sociale, pourquoi le travail de *care*, c'est-à-dire s'occuper des enfants, des personnes malades, âgées, de la maison (un travail sans lequel la vie ensemble serait impossible), échoit toujours en majorité aux femmes ? Et pourquoi ce travail est au mieux mal payé, au pire même pas reconnu – d'où l'expression si souvent entendue *Ma mère, elle travaille pas* ? Qu'est-ce qui, dans notre système judiciaire, fait en sorte que les violences sexuelles ne sont pas prises au sérieux, au point que seule une infime minorité de violeurs soit condamnée ?

S'intéresser aux masculinités, retourner le regard, c'est donc aussi remettre en question notre économie, nos institutions politiques, judiciaires, médicales, autrement dit, nos structures de pouvoir.

Je crois que le féminisme n'est pas une guerre contre les hommes, mais une lutte contre ces structures qui permettent à la domination masculine de perdurer. Et donc contre ce qui, dans la construction de la masculinité (première partie) en fait un privilège (deuxième partie), une exploitation (troisième partie), une violence (quatrième partie)... Il n'y a aucune fatalité ; ce sont des questions structurelles, et les structures, on peut les défaire ou les esquiver (cinquième partie).

« S'intéresser aux masculinités, retourner le regard, c'est donc aussi remettre en question notre économie, nos institutions politiques, judiciaires, médicales, autrement dit, nos structures de pouvoir. »

Ces questions, je ne les formulais pas aussi clairement quand j'ai commencé à m'intéresser aux études de masculinités. À vingt ans, j'ai eu la chance d'étudier un an aux États-Unis. C'est là-bas que j'ai appris qu'au sein des départements de *gender studies*, d'études de genre, des universitaires travaillaient sur les *masculinities studies*, les masculinités. Il s'agissait de retourner le regard, là où la masculinité en tant que telle avait été toujours le point aveugle de la domination. Autrement dit, pour reprendre les termes d'Éric Fassin dans sa postface de *Masculinités*, l'essai fondateur de Raewyn Connell sur lequel je reviendrai longuement dans ce livre : « Les études sur les femmes leur avaient permis d'accéder à une universalité jusqu'alors réservée aux hommes, les études sur les hommes allaient faire entrer ceux-ci dans la particularité où les femmes avaient auparavant été consignées. » De retour en France, j'ai continué à lire des textes féministes. Je me disais qu'un jour j'aimerais écrire sur la masculinité, mais je ne me sentais pas légitime. Au fond, je crois que j'attendais qu'un homme s'empare de cette question. J'ai pourtant tenté plusieurs fois de proposer des sujets sur la masculinité, pendant des années, mais personne ne semblait comprendre l'intérêt de cette question. À l'école de journalisme où j'ai étudié, on me répondait que ce n'était pas un sujet intéressant. Ce n'était même pas un sujet, en fait. Dans les rédactions où j'ai travaillé en sortant de l'école, au début des années 2010, les sujets liés au genre semblaient n'intéresser personne, à part le 8 mars, pour ce qu'on appelait encore trop souvent "la journée de la Femme". Quelques années après, j'ai décidé de devenir journaliste indépendante pour, enfin, faire les sujets qui me plaisaient vraiment. Et tout en haut de ma liste, bien sûr, il y avait cette émission sur les hommes.

Cela faisait des années que je voyais passer des études et des articles éclairants et stimulants sur les masculinités et sur le genre dans le monde universitaire, mais ils n'étaient quasiment pas relayés dans les médias. J'ai eu envie de les partager, en m'entretenant avec des chercheuses et des chercheurs qui avaient consacré beaucoup de temps à réfléchir à ces questions. Le podcast était le média idéal. Dès le départ, j'ai voulu donner la parole à des universitaires, et non pas faire entendre les témoignages subjectifs d'hommes célèbres ou anonymes, qui auraient donné leur point de vue personnel sur leur propre masculinité. D'abord parce qu'il est très difficile d'avoir un point de vue quand on est en situation de domination – on est très rarement conscient des privilèges que cela procure d'être blanc, d'être hétérosexuel, d'être valide, d'être cisgenre. Et puis je suis convaincue que pour penser les dominations, on a besoin de concepts, de faits, de statistiques, et pas uniquement de témoignages (ces universitaires travaillant d'ailleurs souvent sur des témoignages, des entretiens longs, patiemment recueillis). Et c'est justement pour faire entendre dans ce livre la parole de quelques-un·es de ces chercheur·es que j'ai choisi d'insérer, à la fin de chaque partie, l'extrait d'un épisode particulièrement marquant.

On m'a souvent reproché la vulgarité du titre *Les Couilles sur la table*. Je travaille aujourd'hui dans un bureau où il nous semble tout à fait normal de prononcer des phrases comme *Quelqu'un a un micro pour les Couilles ?, C'est quoi le sujet des Couilles cette semaine ?, Je ne peux pas venir à la réunion, je dois monter les Couilles*... (D'ailleurs si on se rencontre un jour, ne me faites surtout pas de blagues sur les couilles, je vous promets qu'à la rédaction de Binge Audio on les a déjà toutes faites et refaites). "Mettre ses couilles sur la table", c'est une métaphore qui m'a toujours interpellée. Je prends la grammaire et les figures de style très au sérieux. Je n'arrive jamais complètement à oublier le sens littéral des expressions, et celle-ci me paraissait bien résumer mon projet. Les couilles sont le symbole de la virilité. Étymologiquement, "testicule" vient de *testis*, en latin "les témoins" : ces organes sont les témoins de la virilité. "Les couilles" peut même, dans certaines expressions, signifier "les hommes" : certains hommes entre eux s'appellent "ma couille", disent qu'ils aiment bien être "entre couilles". "Avoir des couilles", c'est avoir du courage, comme si cette qualité morale ne pouvait être que virile. C'est pourquoi je me suis dit que cette table sur laquelle il était valorisé de les poser, on pouvait la transformer en table d'examen, de discussion, de dissection de la masculinité.

Quarante-six épisodes et deux ans plus tard, ce livre est le résultat de ces conversations, de ces heures de recherche et de lecture, d'innombrables discussions informelles dans des bars, des fêtes et des dîners, et aussi des milliers de messages que les auditeurices m'ont envoyés. Je suis convaincue que le savoir émancipe et libère. Beaucoup me l'ont dit et écrit : ces réflexions, les analyses données pendant ces conversations ont provoqué des prises de conscience, des changements de perspective qui leur permettaient de respirer un peu mieux.

Et, finalement, l'enjeu de toutes ces conversations, c'est la liberté ; c'est devenir un peu plus libre en prenant conscience de tout ce qui nous détermine, pour savoir et pouvoir agir. J'aimerais que ce livre soit une petite contribution à la révolution en cours.

Pour initier cette réflexion sur la virilité et la masculinité, vous trouverez dans les pages suivantes des extraits de l'épisode 9, où, avec la philosophe Olivia Gazalé, nous avons discuté de ce que les hommes font aux autres hommes.

Éducations viriles

Olivia Gazalé a enseigné la philosophie pendant vingt ans en classes préparatoires, à Sciences Po Paris et aux Mardis de la Philo, dont elle est la cofondatrice. Elle est l'autrice de *Je t'aime à la philo – Quand les philosophes parlent d'amour et de sexe*, et du *Mythe de la virilité – Un piège pour les deux sexes.*

Voici le meilleur livre que j'ai lu sur la masculinité, et celui que je recommande toujours sans hésiter à celleux qui veulent aborder le sujet. *Le Mythe de la virilité* convoque l'histoire, la philosophie et la sociologie pour analyser le piège de la virilité : cinq cents pages érudites et savoureuses, d'une richesse exceptionnelle, qui se lisent comme un roman. J'ai invité Olivia Gazalé en 2018, et l'entretien était si dense que nous en avons fait deux épisodes. Celleux qui les ont écoutés ont été, j'imagine, comme moi, ensorcelé·es par sa voix, son humour pince-sans-rire et cette intelligence qu'on sent dans chaque phrase. Je pourrais écouter parler Olivia Gazalé pendant des heures.

À quoi ressemblait l'homme idéal dans la Rome antique ?

Les canons de l'homme idéal ont été établis en Grèce, puis ils ont été parfaits (du verbe parfaire) à Rome. Dans la Grèce antique, leur modèle, c'est l'*andreia*, c'est-à-dire la virilité idéale. Ce sont d'abord des canons de beauté physique. Il y a cette idée que le meilleur du matériau humain, la perfection humaine, c'est le corps masculin. Il faut avoir des épaules larges, il faut être grand – chez Aristophane, on trouve même des détails sur « la fesse rebondie mais la verge menue ». S'y ajoutent des canons de moralité, notamment issus de la morale stoïcienne. Hercule, qui est le meilleur représentant de l'*andreia* grecque, est valorisé et admiré pour ses qualités de force physique, sa puissance et sa musculature magnifique, mais aussi pour son courage, son opiniâtreté, sa valeur morale, sa bravoure, sa combativité. Dans ces canons, on retrouve toujours cette double idée de puissance et de maîtrise.

Il fallait être capable de se maîtriser, de se gouverner ?
De se gouverner, surtout. C'est cela qui place l'homme au-dessus de la femme, qui est réputée colérique, irrationnelle, irréfléchie, impulsive. L'homme, lui, se pense toujours comme maître de ses émotions et de ses sentiments. Le stoïcisme va introduire l'idée qu'un homme viril doit apprendre à supporter la douleur, et même désirer la mort. À dix-sept ans, le jeune Romain se couvre d'une toge, qui symbolise la *pudor*, c'est-à-dire non seulement la pudeur physique mais surtout la pudeur des sentiments. Un homme ne doit rien montrer, ne doit ni pleurer ni éternuer ni avoir peur.

J'étais très étonnée de lire que l'homme chez les Romains n'était censé ni cracher ni éternuer, ni renifler ni bâiller !
Oui, parce que ce sont des signes d'effémination. Il faut bien comprendre qu'être un homme, c'est d'abord et avant tout ne pas être une femme. L'effémination est la pire des hantises dans l'Antiquité – et ça l'est resté longtemps.

Même encore aujourd'hui...
Bien sûr. C'est parce que le féminin est déprécié que l'effémination est soupçonnée d'être l'indice de la lâcheté, de la pusillanimité et de la mollesse. La mollesse, c'est la hantise romaine : la *mollitia*. Ils se traitaient sans arrêt de *mollis* ! La mollesse renvoie à la passivité féminine, et donc à cette idée que la femme ne se gouverne pas (puisqu'elle subit ses écoulements menstruels), par opposition à un homme qui, lui, est censé gouverner son érection et ses émissions séminales...

Pouvez-vous nous raconter comment fonctionnait le système pédérastique dans la Grèce antique ?
D'abord, il faut comprendre que les catégories mêmes d'hétérosexualité et d'homosexualité n'existaient pas en Grèce. L'homme, le citoyen libre, avait ce qu'on pourrait appeler une polysexualité, c'est-à-dire qu'il avait une épouse légitime, des maîtresses, des concubines (qu'on appelait les hétaïres), et qu'il allait aussi voir des prostituées. Et il était passé dans sa jeunesse par un rituel de passage obligatoire dans la bonne société athénienne : la pédagogie pédérastique. Les hommes s'entraînaient nus au gymnase, participaient à des concours de beauté et se faisaient admirer et séduire par des hommes plus âgés. Il était très mal vu, quand on était un éromène – un adolescent – de ne pas avoir un protecteur, qu'on appelait l'éraste et qui était censé vous viriliser. C'était une éducation intellectuelle, culturelle, qui impliquait des relations sexuelles. Le rapport sexuel était extrêmement codifié, puisque l'éraste, donc le plus âgé, devait impérativement pénétrer analement le jeune homme, et en aucun cas l'inverse ! L'idée, c'était que le sperme de l'homme plus âgé était quelque chose de virilisant. Les Grecs anciens tenaient le sperme en si haute estime, ils le valorisaient tellement qu'on considérait qu'être fécondé par le sperme d'un homme plus âgé contribuait à viriliser le jeune homme.

On retrouve la même idée en Nouvelle-Guinée chez les Baruyas, n'est-ce pas ?
Oui, comme cela a été décrit par l'anthropologue Maurice Godelier, avec un système de fellations rituelles : c'était toujours la même idée que le sperme est virilisant, et

surtout qu'il va contrebalancer l'effet jugé néfaste du lait maternel, qui est féminisant pour le jeune homme. La pédérastie grecque est une sorte de rite de passage. Pour devenir adulte, on doit passer par cette virilisation par l'homme plus âgé. Il y a une anecdote assez amusante dans un texte d'Aristophane, *Les Oiseaux*. Un homme dit à un autre : « Mais comment ? Tu rencontres mon fils alors qu'il quitte le gymnase tout propre sorti des bains, et tu ne l'embrasses pas, tu ne lui dis pas un mot, tu ne lui palpes même pas les couilles ? Et tu prétends être un de nos amis ?! »

Et à Rome ?

Les Romains n'avaient pas du tout les mêmes pratiques, parce que la société romaine est beaucoup plus paternaliste. Le père de famille n'aurait jamais supporté la concurrence d'un éraste dans son autorité sur le jeune. En revanche, ils avaient de petits esclaves sexuels – et parfois tout petits. L'empereur Tibère élevait et dressait des petits garçons, très jeunes, entre deux et quatre ans, à venir nager en apnée entre ses cuisses pendant son bain quotidien – il les appelait "mes petits poissons" – pour qu'ils viennent lui faire des caresses buccales...

Tibère, et beaucoup d'autres : vous racontez qu'il y avait des écoles spécialisées où on éduquait les petits garçons à être des esclaves sexuels.

Absolument ! Les *pueri delicati*. Ils avaient la peau douce, de longs cheveux, ils sentaient bon et venaient agrémenter de leur présence délicate les banquets, et c'était tout à fait accepté socialement.

En lisant votre livre, on se rend compte combien l'éducation des garçons, à travers l'histoire, a souvent été extrêmement violente. À l'époque plus contemporaine, on utilise encore ce proverbe, « qui aime bien châtie bien » : est-ce la pédagogie qui a prévalu jusqu'à aujourd'hui, l'idée qu'on apprend en frappant ?

Le but, c'est d'endurcir les garçons. Un homme, un vrai, c'est quelqu'un qui encaisse les coups, qui méprise la souffrance et cela n'a rien de naturel... C'est forcément quelque chose qui s'acquiert par ce que j'ai appelé le dressage des corps masculins.

Les corps masculins sont donc dressés comme ceux des animaux ?

C'est longtemps resté la base même de l'éducation : on apprenait à coups de taloches, de martinet, de trique. Il fallait souffrir. [...] Le mythe guerrier est absolument central dans toute cette construction historique de la virilité : le but, c'est de fabriquer des combattants et des guerriers. Or, comment on fabrique un guerrier ? En lui disant : « Tu n'as pas peur de mourir, tu n'as pas peur de souffrir. » Que ce soit à Sparte ou à l'époque médiévale, où dans les deux cas le service militaire pouvait commencer à quatre ans, c'était des brimades continuelles, des épreuves harassantes pour apprendre à supporter le froid, la faim, les coups. Ce qui m'a aussi beaucoup frappée en plongeant dans l'Histoire, c'est de voir à quel point l'obéissance et la servilité sont centrales dans l'apprentissage. Dans l'armée, on a besoin d'obéissance et de discipline, donc on fabriquait des petits garçons complètement endurcis et fanatiquement obéissants.

En France, il n'était quand même pas rare que les instituteurs frappent leurs élèves, y compris dans les années 1950...
Je l'ai moi-même subi à la fin des années 1960 ! On frappait surtout les garçons d'ailleurs, peu les filles. Je me souviens que le maître en CM2 frappait encore à coups de règle sur les doigts.

C'est certainement un point commun partagé par tous nos ancêtres, d'avoir été éduqués de façon violente ?
Oui, c'est aussi en ce sens que je dis que « devenir un homme, c'est un fardeau ». Évidemment, devenir une femme à cette époque-là, ce n'était pas non plus une histoire des plus simples... Disons que ce qui m'a beaucoup frappée, c'est de voir à quel point l'ensemble de ces rituels initiatiques était extrêmement douloureux. Vous avez parlé du rite de la pédagogie pédérastique, mais dans le cadre du service militaire à Athènes, on trouvait aussi d'autres rituels qui étaient très barbares. Par exemple, le rite de marginalisation : un gamin de 17 ou 18 ans qui, pendant plusieurs semaines, est abandonné à ses seules forces dans la nature dans la forêt. Il doit se débrouiller, se cacher le jour et aller chasser la nuit, ou voler, pour se nourrir. Quel est l'intérêt de tout cela sinon de fabriquer un guerrier endurci ? Et c'était la seule finalité : fabriquer du guerrier.

Vous montrez en effet à quel point le modèle central du masculin, c'est le héros – le guerrier, le soldat.
"Vir" vient du sanskrit *"virâ"*, qui signifie "le héros". L'héroïsme est fondamental. Le pleutre, le lâche est assimilé au féminin, toujours. Donc un sous-homme, un non-homme. En revanche, celui qui meurt sur le champ de bataille, lui, c'est le parangon de la virilité.

Il est frappant de voir comment les lieux où nous vivons ont été façonnés par l'idéal et l'imaginaire du héros, du guerrier, du soldat.
Il y a évidemment une dimension patriotique très forte dans la virilité. Ce qui frappe aussi, c'est la stigmatisation systématique de la lâcheté, le fait que les objecteurs de conscience soient si mal vus. Il y a vraiment une injonction à être un bon soldat, dont nous avons hérité depuis la Grèce antique et qui aujourd'hui, heureusement, commence à être remise en question. L'abolition du service militaire obligatoire, par exemple, est un immense progrès. Il faut se rappeler qu'au XIXe siècle, tous les enfants avaient grandi dans l'obsession de l'épopée impériale de l'armée et dans un culte de la guerre. Les drapeaux, les défilés, les parades : la société entière vivait au rythme du clairon. Évidemment, nous n'en sommes plus là. Mais dans beaucoup de pays, l'idéal archétypique de la virilité reste le soldat.

D'ailleurs vous expliquez aussi comment l'armée, très concrètement, contrôlait la virilité de ses recrues. En fait, l'examen pour faire son service militaire, c'était aussi un examen de virilité.
On trouve de nombreux éléments sur l'entrée dans la conscription dans *Histoire de la virilité* – une somme exceptionnelle sous la direction d'Alain Corbin, Jean-Jacques Courtine et Georges Vigarello. Il y avait effectivement cette intronisation avec la toise : quand on était petit, on pouvait se faire refouler – en tout cas, on était très mal perçu, moqué et discriminé – alors que le jeune homme grand, beau et

athlétique était promis à une belle carrière militaire. Mais ces discriminations ont toujours cours – peut-être pas dans l'armée, mais dans la vie – même à l'embauche ! On le sait, ça.

Vous évoquez aussi les conséquences politiques de la virilité, notamment dans le fascisme. Le fascisme vraiment a poussé le culte de la virilité à son maximum…

Oui, et ça passe d'abord par le culte du muscle, de la force et d'une certaine brutalité, portée à sa quintessence. Il est très intéressant de regarder un ouvrage intitulé *Fantasmâlgories*, récemment traduit en français. L'auteur, Klaus Theweleit, analyse la littérature des corps francs, et il montre que derrière ce besoin de former une carapace dure, brutale, invincible, insensible, il y a une angoisse terrible de la fragmentation, de la dissolution. C'est une obsession chez les nazis, cette peur de l'indifférenciation. L'idéologie nazie, comme souvent les idéologies très dogmatiques, tient absolument au maintien de polarités opposées : l'homme est vraiment un homme, il est radicalement opposé à la femme ; il n'y a rien de commun entre les deux, et les rôles sont clairement démarqués. Bien sûr, l'abomination suprême, c'est l'efféminé ou l'homosexuel – on peut vraiment parler d'un "homocauste" – avec l'extermination des homosexuels. Pourquoi ? Parce que l'homosexuel brouille la différenciation sexuelle. Il brouille les frontières, il abolit les distinctions de classe et de race : il est suspecté d'être dans l'effémination, dans ce que les nazis appellent la juiverie. En fin de compte, l'homosexuel concentre toutes les tares de la dégénérescence, et, surtout, il brouille la différenciation absolue des sexes.

Cette idée-là est fondamentale dans le système fasciste…

C'est fondamental. Klaus Theweleit le dit très bien : il y a un mépris, une misogynie immense dans le nazisme. Pourtant, les femmes ont été nombreuses à voter pour Hitler, à le porter au pouvoir – avant d'être reconduites à leur cuisine et cantonnées à la procréation. La femme était là pour fabriquer du garçon. Du jeune fasciste.

Votre regard a-t-il été changé par l'écriture de ce livre ?

Beaucoup, oui. Initialement, je travaillais sur le féminin. Je tentais de creuser ces phénomènes comme le plafond de verre, les viols, le harcèlement… Mais en creusant le sujet, j'ai compris que le problème venait non seulement des stéréotypes sexués sur le féminin, mais aussi des stéréotypes sur le masculin. En tirant les fils, j'ai vraiment pris conscience de ce que veut dire Bourdieu quand il écrit que la virilité est à la fois un privilège et un piège. En se plongeant dans l'histoire du masculin, on se rend compte que la domination phallique s'est beaucoup exercée sur les femmes, mais qu'elle s'est aussi beaucoup exercée sur le masculin, et qu'on peut réellement parler d'une oppression de l'homme par l'homme. Le thème de "l'homme victime" m'agaçait, parce qu'il est en général utilisé par les masculinistes pour dire que l'homme est victime des femmes… Mais mon regard a changé. Je pense que les hommes sont victimes, effectivement, mais ils sont d'abord et avant tout victimes d'eux-mêmes, et d'une certaine image de la virilité.

CONSTRUCTION

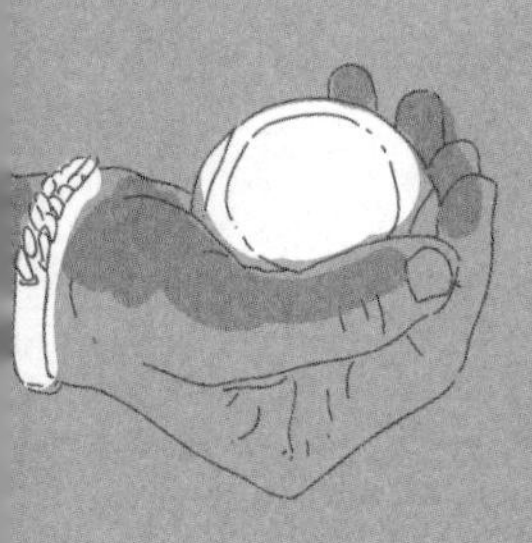

« Le privilège masculin est aussi un piège et il trouve sa contrepartie dans la tension et la contention permanentes, parfois poussées à l'absurde, qu'impose à chaque homme le devoir d'affirmer en toute circonstance sa virilité. »

Pierre Bourdieu, *La Domination masculine*, 1998

« Quand il était encore bébé, Xavier, voyant sa mère qui pouponnait son cadet, voulant tout faire comme maman, tendrement langeait et berçait son ourson, sans façons ; [...] mais les amis mais les parents apprenant qu'il était tendre et maternel [...] dirent qu'il fallait mettre aussitôt une auto dans les mains de ce petit mâle anormal. »

Anne Sylvestre, *Xavier*, 1981

La masculinité comme la féminité ont le naturel de l'évidence, et l'évidence du naturel. Avant de commencer à réfléchir à ces sujets, sans doute comme beaucoup de gens, je croyais que "la masculinité" existait de toute éternité, que c'était comme un principe, un programme, un idéal inscrit quelque part dans le corps des hommes et que, en grandissant, les individus "mâles" développaient "naturellement" cette masculinité. Sauf que, quand on se penche sur la question, on comprend très vite que ce n'est pas exactement ainsi que cela se passe, et que la masculinité, tout comme la féminité, est avant tout une construction – sociale, culturelle, historique. Il ne s'agit pas d'ignorer le corps ou la biologie – au contraire, on verra comment la biologie peut nous aider à penser ces questions. Mais on constate que même si le genre s'entremêle étroitement avec le sexe biologique, il est avant tout une construction sociale.

On ne sait pas à quoi ressemblerait un "pur" être humain qui ne subirait aucune influence, d'aucune culture : ça n'existe pas. Chaque être humain naît toujours à une époque donnée, dans un milieu donné. Notre socialisation ne s'arrête jamais : toute notre vie, nous changeons d'opinions, de vision de nous-mêmes, en fonction d'innombrables influences extérieures (interactions avec les autres êtres humains, contexte social et politique, lectures, films...).

La socialisation, c'est donc l'ensemble des processus par lesquels nous nous construisons, nous sommes formés, modelés, façonnés, fabriqués, conditionnés. Et genrés : notre identité de genre est le cadre dans lequel nous formons le sentiment de notre propre identité.

Le genre marque la façon dont nous bougeons, le fait ou non de nous autoriser à couper quelqu'un dans une conversation, nos occupations et nos préoccupations, nos styles vestimentaires, mais aussi nos gestes, la hauteur de notre voix... Bien sûr, la socialisation de genre est toujours entremêlée d'autres socialisations : celles de la culture et de la classe sociale – ainsi, on n'apprend pas aux petits garçons leur genre masculin exactement de la même façon en France qu'en Chine, en Argentine ou au Maroc, et la masculinité valorisée au sein des classes populaires n'est pas la même que celle valorisée par la bourgeoisie. Mais, tout au long de notre vie, conformément aux normes de notre contexte social, culturel et historique, nous avons appris ce qui était masculin ou féminin, nous avons été rappelé·es à l'ordre de notre genre, de diverses manières – moqueries, insultes, remarques, conseils, compliments. Et nous avons intériorisé toutes ces normes, au point de ne plus les ressentir comme des contraintes, mais comme tout à fait naturelles : c'est ce qui fait que la plupart des gens pensent sincèrement qu'il est inné que les petits garçons soient passionnés par le foot et que les petites filles adorent les déguisements de princesse. Tous ces éléments font tellement partie de notre identité qu'on a du mal à les voir comme relevant d'une construction sociale, historique ou politique.

Pourtant, c'est bien ce qu'ils sont. « On ne naît pas femme, on le devient », écrivait Simone de Beauvoir. Et on ne naît pas homme non plus : on le devient.

Comment la masculinité vient aux garçons

Pour bien comprendre comment la masculinité se construit et comment elle "vient" aux garçons, il faut je crois commencer par distinguer la virilité de la masculinité, comme le propose la sociologue Haude Rivoal, qui était l'invitée de l'épisode 29. La virilité, montre-t-elle, est un attribut ; c'est quelque chose que l'on possède plus ou moins : « C'est un idéal de performance, d'autorité, de dépassement de soi et d'endurance qui trouve son expression à travers des démonstrations corporelles et/ou verbales. » Les sportifs, les fascistes, les militaires, les cow-boys... selon les époques et selon les cultures, les archétypes de la virilité varient. Mais ce qui ne change presque pas, à travers l'histoire, c'est que ce qui est viril se réfère toujours à la puissance physique et sexuelle, à la force voire à l'agressivité, aux muscles, à la fermeté morale, à l'autorité, à l'audace.

La virilité est donc une ressource qui se définit par elle-même et qui n'a pas besoin d'être associée aux hommes. Il y a des femmes très viriles, qui elles aussi peuvent faire preuve de force, d'autorité, de puissance physique – ça ne veut pas dire qu'elles se masculinisent ou qu'elles obtiennent en échange de ces attributs les privilèges que ces mêmes attributs virils confèrent aux hommes. Une ouvrière musclée, qui se bat, qui parle fort et s'engage physiquement dans le travail, n'occupera par pour autant une place dominante dans la société.

On peut donc comprendre et définir la virilité en elle-même. Ce n'est pas le cas de la masculinité, qui, elle, n'existe que par contraste avec la féminité. Si on ne distinguait plus les humains entre hommes et femmes, et si on les pensait uniquement en "êtres vivants", les termes de masculinité et de féminité n'auraient plus de sens (alors qu'on pourrait toujours distinguer des attributs virils). La masculinité est donc une représentation du masculin, par opposition à une représentation du féminin, et cette représentation est le fruit d'une construction sociale, culturelle et historique. Une construction qui commence très tôt, dure toute la vie et se retrouve partout.

Le processus de différenciation commence quand un enfant vient au monde. Aussitôt, les adultes lui attribuent un genre (masculin OU féminin), en fonction de l'apparence de ses organes génitaux externes. Petit pénis et testicules : on dit c'est un garçon ; petite vulve : c'est une fille. Pourtant, on sait que dans un nombre de cas non négligeable, c'est loin d'être aussi évident. Mais il *faut* assigner un genre, si bien que dès la naissance (et même avant), un appareil de fabrication du genre se met en place : on donne au garçon un prénom masculin, on l'habille avec certains vêtements de certaines couleurs, on rêve de sa vie d'adulte – il sera médecin ou soldat, il reprendra la ferme familiale, il sera ceci ou cela… Impossible d'échapper à cette différenciation. Cela pourrait n'être qu'anecdotique, mais ça ne l'est pas : cela conditionne les comportements, celui de l'enfant, et celui des personnes autour de lui.

En fonction du genre attribué à un nourrisson, le comportement des adultes change, de façon plus ou moins inconsciente. Ainsi, des expériences menées par des chercheurs de l'université Paris Saclay[1]

1. Collectif, « Sex Stereotypes Influence Adults' Perception of Babies' Cries », *BMC Psychology*, 2016.

ont montré que nous réagissons différemment aux pleurs des enfants en fonction du genre qui leur a été assigné : à l'âge de trois mois, même si les cris des bébés de sexe féminin ne sont pas plus aigus que ceux des garçons, les adultes sont persuadés du contraire. Tout comme les hommes du panel considèrent que les pleurs présentés comme ceux de garçons expriment plus d'inconfort que les mêmes pleurs présentés comme ceux de filles. On a par ailleurs constaté que les mères vont nourrir plus vite les petits garçons que les filles. Quand ils pleurent, elles les prennent plus vite dans leurs bras. Et cette différenciation dans les actes se traduit également dans le discours : on dira volontiers d'un nourrisson garçon qu'il est "fort" et "costaud", tandis qu'on qualifiera une petite fille de "délicate" et "mignonne".

Ce n'est pas la faute des parents : nous ne faisons que transmettre, par nos manières d'être, la culture dans laquelle nous avons grandi. On incorpore le genre, on apprend des façons de bouger, de se tenir, d'occuper l'espace : on apprend aux filles à ne pas écarter les jambes, aux garçons à ne pas les croiser, on se moque d'un garçon qui casse le poignet quand il parle... Aux États-Unis comme en France, les parents sont deux fois plus nombreux à rechercher sur Google : *Mon fils est-il surdoué ?* que *Ma fille est-elle surdouée ?* Ils sont aussi deux fois plus nombreux à googler *Ma fille est-elle en surpoids ?* que *Mon fils est-il en surpoids ?* On pourrait multiplier les exemples : les petits garçons sont beaucoup plus stimulés physiquement, on les encourage plus à marcher, on s'alarme moins quand ils tombent...

Le comportement différencié des parents sur leurs enfants en fonction de leur genre est donc l'un des premiers facteurs qui contraint ces enfants à adopter les codes de ce genre. Mais les enfants apprennent aussi par imitation, et l'observation du monde autour d'eux leur permet de s'identifier à l'un ou l'autre genre, et d'en déduire les attitudes "correctes" à adopter. Or, le premier modèle d'identification pour les garçons, ce sont les autres hommes (généralement leur père, quand il est présent), et comme les rôles ont tendance à être encore très sexués aujourd'hui (papa bricole, maman cuisine), il est bien compréhensible que les enfants les reproduisent. Ce qui est vrai à la maison l'est aussi des productions culturelles, même si les choses semblent avoir un peu évolué ces dernières années : dans les dessins animés et livres destinés aux enfants, les héros restent le plus souvent des garçons. Les filles sont moins représentées, ou cantonnées à des rôles stéréotypés : elles intègrent donc très tôt qu'elles ne sont pas la norme[2].

Les petits garçons sont donc soumis, dès leur naissance, à des regards, des comportements et des modèles qui leur enseignent qu'il y a une bonne manière d'être un garçon. Mais être un garçon, ce n'est pas juste "ne pas être une fille" : c'est être "mieux" qu'une fille. À la différenciation des genres se superpose une hiérarchisation. Dans la quasi-totalité des sociétés connues, ce qui est masculin est considéré comme supérieur au féminin. Cette dichotomie imprègne toute notre manière de voir le monde, tous nos systèmes de représentation. On valorisera ce qui est codé comme masculin : une petite fille qui joue au foot ou aux voitures sera généralement encouragée, mais on verra souvent d'un mauvais œil des petits garçons faire de la danse ou jouer à la poupée. Ce qu'on apprend aujourd'hui aux garçons, c'est qu'ils se dévaloriseraient en adoptant des activités perçues comme féminines.

Cette hiérarchisation ne concerne pas seulement les individus (homme ou femme), mais aussi les valeurs, qui sont pensées soit comme féminines, soit comme masculines : les valeurs liées à l'un ou l'autre sexe peuvent varier selon les époques et les sociétés, mais celles qui sont associées au féminin sont systématiquement dévalorisées par rapport au masculin (émotion/raison, faiblesse/force, passivité/activité...)[3].

Sans surprise, cette hiérarchisation se reflète aussi dans notre langue. Or notre langue, c'est ce qui nous permet de penser le monde. En grammaire, on apprend ainsi que le masculin "l'emporte" sur le féminin. Que le masculin est le "genre noble" ou "le genre neutre". Pourtant, comme l'ont montré nombre de chercheur·es[4], il n'en a pas toujours été ainsi. Il existait en effet jusqu'au XVIIe siècle plusieurs règles en concurrence, avant que la langue française ne subisse une entreprise de "masculinisation", menée par des grammairiens misogynes, qui ont interdit des mots comme "autrice", "peinteresse", "doctoresse", ou ont combattu certains usages

2. Une analyse de centaines de films pour enfants sortis entre 1990 et 2005 montre que 72 % des rôles parlants étaient masculins, cf. « Gender Roles & Occupations: A Look at Character Attributes and Job-Related Aspirations in Film and Television », University of Southern California, 2013.
3. C'est ce que l'anthropologue Françoise Héritier a nommé "la valance différentielle des sexes", *Masculin-féminin*, O. Jacob, 1996.
4. Notamment les travaux d'Éliane Viennot, *Le langage inclusif : pourquoi, comment*, Éditions iXe, 2018.

d'accords : par exemple, les accords de pronoms attributs avec le genre de la personne qui parle (les femmes ont longtemps pu dire *enrhumée, je la suis aussi*), ou l'accord de proximité (on accordait avec le genre du nom le plus proche du verbe : *un homme et une femme y sont allées*), remplacé par la règle du masculin qui l'emporte (*trois milliards de femmes et un homme y sont allés*).

Bien avant de rentrer à la crèche ou à l'école, les petits mâles ont donc déjà incorporé une partie des codes de la masculinité. Ils grandissent ensuite en subissant l'influence de toutes les autres instances de socialisation : l'école, les ami·es, les associations sportives, l'église..., où l'apprentissage de ces codes, conscients ou non, se renforce. En 2012, un rapport de l'Inspection générale des Affaires sociales montrait ainsi que, dans les crèches françaises, faute de formation spécifique, les personnes encadrant les enfants contribuaient à renforcer les stéréotypes de genre :

> *«Les petites filles sont moins stimulées, moins encouragées dans les activités collectives tandis que leur apparence est davantage l'objet des attentions des adultes. En revanche, les préoccupations pour les capacités physiques (motricité, déplacement, maîtrise de l'espace) sont plus prononcées quand il s'agit des garçons. Au cours d'échanges verbaux, les professionnels interrompent plus fréquemment les filles que les garçons, et les garçons ont davantage d'interactions verbales avec eux.*[5]*»*

Dès l'âge de 6 ans, les filles ont déjà tendance à se considérer comme beaucoup moins intelligentes que les garçons[6]. À l'école, à travers les interactions avec les adultes (enseignant·es, surveillant·es) et les autres enfants, les garçons continuent leur processus d'apprentissage de la masculinité, et de ses effets de différenciation. La sociologue Marie Duru-Bellat montre ainsi que, quel que soit leur genre, les enseignant·es qu'elle a observé·es interagissent davantage avec les garçons, et jugent différemment leurs copies : ielles auront tendance à complimenter celles des garçons pour leur

5. Brigitte Grésy et Philippe Georges, « Rapport sur l'égalité entre les filles et les garçons dans les modes d'accueil de la petite enfance », IGAS, 2012.
6. Collectif, « Gender Stereotypes About Intellectual Ability Emerge Early and Influence Children's Interests », *Science*, 2017.

intelligence ou leur originalité, et celles des filles pour leur sérieux et leur propreté[7].

Du côté du masculin, le sport est un autre lieu de socialisation où les garçons vont voir se confirmer tous les stéréotypes de genre auxquels ils ont déjà été confrontés. C'est ce dont nous avons parlé avec Thierry Terret, historien du sport et ancien professeur d'EPS, dans l'épisode 19, *Pourquoi le sport reste encore un truc de mecs*. Aujourd'hui, en France, les garçons font plus de sports collectifs que les filles, et trois fois plus d'hommes que de femmes participent à des compétitions. Parce qu'elles seraient moins performantes ? Plutôt parce qu'elles sont moins encouragées à participer aux compétitions. Pas étonnant, quand les pratiques sportives valorisées publiquement sont les pratiques masculines : 80 % du volume horaire des retransmissions sportives télévisées en 2016 selon le CSA concernait le sport masculin.

Ce que montre également Thierry Terret, c'est que, en club comme à l'école, le sport participe à l'apprentissage de la masculinité :

> *« Par sa nature même, compétitive et spectaculaire, [le sport] met en scène l'expression et le contrôle de la force physique. Il organise des contextes où s'installent des formes de violence physique (blessures, dopage) et morale (discrimination) et se valorisent des qualités associées idéalement à l'homme : intelligence (tactique), maîtrise technique et technologique, courage, abnégation, résistance à la douleur... Il est aussi idéalement lié à la réussite financière professionnelle, propulsant ses champions, plutôt que ses championnes, au rang de modèles. Il symbolise le pouvoir (sur soi, sur les éléments, sur les autres) dans une société où celui-ci est culturellement associé à [la masculinité]. [...] Enfin le sport traduit dans ses institutions et ses pratiques la domination des hommes sur les femmes et le rejet des formes de masculinité les plus éloignées de l'idéal hégémonique. Historiquement, les femmes ont en effet été longtemps exclues de l'institution sportive avant d'y être tolérées, y compris aux Jeux olympiques. »*

7. Marie Duru-Bellat, *L'École des filles : quelle formation pour quels rôles sociaux ?*, L'Harmattan, 2004.

Le sport est donc comme une arène où les garçons apprendraient la masculinité, éprouveraient la puissance de leur propre corps, leur force physique, l'esprit d'équipe, la performance… Toutes qualités qui seront utiles ensuite pour la domination masculine.

À la maison, à la crèche, à l'école, dans les productions culturelles, dans le sport, et même à travers le langage, les codes du genre se construisent, et les stéréotypes de genre se renforcent. Et on constate que cela influence jusqu'à notre apprentissage des sentiments, comme l'amour et l'amitié. Invité du deuxième épisode, le sociologue Kevin Diter nous a parlé de la manière dont les enfants construisent et intériorisent des représentations genrées de l'amitié et de l'amour. Pendant un an, il a enquêté dans deux établissements parisiens (une école élémentaire et un centre de loisirs), en observant en classe, au centre de loisirs et dans la cour de récréation des enfants de 6 à 10 ans, qui venaient lui raconter leurs peines et leurs questionnements[8].

Son constat est clair : l'amour et l'amitié occupent une place très importante dans la vie des enfants. Mais l'amour est très vite codé comme quelque chose de féminin : l'amour, c'est pour les filles. Quand les garçons « s'intéressent de trop près à l'amour », explique-t-il, « ils ont très bien conscience qu'ils risquent de mettre en cause leur réputation et donc la redéfinition d'eux-mêmes en tant que garçons, et c'est ça qui les rebute ». Les filles en revanche investissent bien plus l'amour, et, dit-il : « À force que ce soit les filles qui mettent en scène l'amour, elles donnent un genre à ce sentiment-là. » En cela bien aidées par toute une culture qui leur est destinée, des vêtements avec des cœurs aux séries télévisées – par exemple la série *Violetta*, l'histoire d'une jeune chanteuse et danseuse très à la mode en France à l'époque où Kevin Diter menait son enquête. Dans la cour de récréation, raconte-t-il, les filles s'amusaient à refaire les chorégraphies, à rejouer et à débattre des intrigues amoureuses de l'épisode de la veille, tandis que les garçons, eux, déclaraient que c'était complètement nul : pas question d'apprécier (ou d'avouer apprécier) un feuilleton qui parle d'amour. Parce que, encore une fois, l'amour, "c'est pas pour les garçons".

8. Kevin Diter « "Je l'aime, un peu, beaucoup, à la folie… pas du tout !" La socialisation des garçons aux sentiments amoureux », *Terrains & Travaux*, 2015.

Dans le cadre d'une cour de récré, poursuit Kevin Diter, déclarer qu'on est amoureux devient une transgression de genre ; ceux qui le font risquent des "rappels à l'ordre" de la part des autres garçons : ils se feront traiter de "bébé", de "fleur bleue", de "fillette", voire de "pédé"... Les adultes renforcent encore cet ordre de genre, en taquinant les garçons sur leurs relations amoureuses imaginaires, ce qui pousse les garçons à nier qu'ils puissent avoir quelque chose à voir avec les filles, parfois même violemment.

Dans le même temps, les enfants apprennent aussi que la norme, c'est l'hétérosexualité : les adultes romantisent volontiers les relations hétérosexuelles que les enfants entretiennent ; ils feront des plaisanteries sur *mon fils qui risque d'emballer ta fille*, ces enfants *trop mignons, on va les marier !...* Jamais, bien sûr, ils ne font de plaisanteries sur l'attirance que pourraient avoir l'un pour l'autre deux petits garçons. Puis, à l'adolescence, l'obligation à l'hétérosexualité devient de plus en plus pressante : c'est en ayant des relations sexuelles avec des femmes que le garçon est censé prouver qu'il est un homme. Il s'agit de ne pas être "une femmelette", un "pédé" (du côté du féminin), ou un "puceau". Et quand on assemble cette obligation à l'hétérosexualité et l'infériorisation du féminin, on comprend ce paradoxe tragique : on apprend aux garçons qu'ils doivent désirer ce qu'on leur a d'abord appris à mépriser.

En résumé, la masculinité n'est pas une propriété immuable, qui serait identique depuis la nuit des temps et partout sur la planète. C'est une construction (historique, sociale et culturelle), en perpétuelle reconfiguration, c'est un processus relationnel (on le construit non pas tout seul, mais en relation avec les autres), c'est une relation hiérarchique (le masculin toujours supérieur au féminin), et une performance : on performe son identité masculine comme un acteur qui joue un rôle, par ses paroles, ses attitudes, ses gestes.

Une construction, donc, mais une construction extrêmement solide ! D'autant qu'elle se déguise aisément sous les traits de la "nature" : masculin ou féminin, tout cela nous semble si "naturel". Pourtant, nous allons voir que dès que l'on soulève le voile des apparences, le genre n'a vraiment rien de naturel.

L'illusion d'un modèle masculin naturel

Tandis que je rédige ces pages dans un café du village où je passe l'été, je m'embarque dans de longues discussions avec les clients et la patronne. Ils savent que j'écris un livre sur la masculinité ; les clients me défient au bras de fer (pour me montrer que les hommes sont "naturellement" plus forts que les femmes) ; ils me font remarquer le comportement du chien du café "c'est un mâle donc il veut sauter toutes les femelles du quartier, c'est la nature !" ; ils me demandent, inquiets, si je veux des enfants et si j'ai bien des relations sexuelles avec des hommes (car si ce n'était pas le cas, alors ça serait selon eux "contre-nature")...

Je comprends qu'il soit tentant de naturaliser sans arrêt nos comportements, de vouloir chercher dans la nature des explications à un état de fait (la domination masculine) tellement évident. Les sciences "de la nature" sont ainsi régulièrement appelées à la rescousse pour légitimer et justifier les différences entre les hommes et les femmes, pour les naturaliser. Pour justifier un ordre social par un ordre naturel. Et pourtant...

LA VRAIE NATURE DU MÂLE ?

Ce sont des choses que l'on entend tout le temps : hommes et femmes seraient "par nature" différents, nos cerveaux n'auraient pas la même forme, les hommes seraient *naturellement* infidèles car ils auraient besoin de disséminer leurs spermatozoïdes (alors que les femmes qui ne produisent qu'un ovule par cycle devraient sélectionner leurs partenaires avec soin) ; les hommes auraient des "pulsions" violentes comme leurs cousins les gorilles (et les femmes un "instinct maternel" comme les chattes, les chiennes et les vaches) ; la forme de nos organes génitaux nous prédestinerait à un tempérament (les femmes seraient accueillantes comme leur utérus, les hommes portés vers la conquête du monde comme leur glorieux pénis dressé vers l'avant) ; les corps des femmes les voueraient au rôle de mère, de vierge ou de putain, nos utérus et nos vagins étant "faits" pour être remplis ; le but premier de la sexualité, c'est la reproduction, etc.

Ainsi, dans les magazines, les journaux ou dans des livres de développement personnel à prétention scientifique[9], on lit très souvent que les différences de comportements entre hommes et femmes s'expliqueraient par les impératifs de l'évolution, les hormones, l'anatomie, un prétendu "âge préhistorique" ou des comparaisons avec les animaux... Le point commun de ces théories est qu'elles prétendent s'appuyer sur des arguments scientifiques qui les rendraient imparables. En fait de science, elles s'appuient surtout sur les arguments de la "psychologie évolutionniste", une science non reconnue comme telle en France, qui se donne pour mission d'expliquer des comportements humains contemporains par l'existence de dispositions psychiques d'origine génétique sélectionnées au cours de l'évolution (l'objet même de cette science est donc de prouver ces théories...). Mais peu importe la rigueur scientifique : ces analyses remâchées, vulgarisées, exagérées, servent de base à ces innombrables articles qui nous expliquent que LA

9. Comme le best-seller mondial de John Gray paru en anglais au début des années 1990, *Les Hommes viennent de Mars, les femmes de Vénus.*

Femme ne sait pas lire les cartes routières, qu'elle marche les genoux rapprochés quand elle ovule, qu'elle est neurologiquement plus douée pour le langage que pour les maths, tandis que l'homme a des capacités de vision plus lointaine grâce à son passé de chasseur de mammouth, mais que ça le rendrait aussi incapable de voir les chaussettes sales qui traînent, etc.

Or, dès qu'on étudie ces questions d'un point de vue *vraiment* scientifique, comme l'ont notamment fait le philosophe des sciences Thierry Hoquet et la paléontologue Claudine Cohen, que j'ai reçu·es chacun·e dans un épisode, on s'aperçoit que ces arguments essentialistes, qui veulent à tout prix démontrer qu'il y aurait une "essence masculine" et une "essence féminine", ne tiennent pas, et qu'on peut les démonter un à un.

La réduction des individus à leurs gamètes

Dans la définition stricte des espèces à reproduction sexuée comme la nôtre, un mâle est un individu qui produit de petits gamètes en grand nombre, les spermatozoïdes, par opposition à une femelle qui produit de gros gamètes en petit nombre, des ovules. Et, comme si on pouvait réduire les êtres humains à leurs gamètes, de nombreuses idées reçues ont été déduites de ce simple fait. Ainsi, le récit qu'on fait généralement de la fécondation – celui que vous avez certainement appris à l'école – est le suivant : des millions de petits spermatozoïdes font la course pour tenter de transpercer le gros ovule, qui attend passivement, et que le plus fort ou le plus rapide gagne ! Thierry Hoquet qualifie cette manière de voir d'"animiste", c'est-à-dire une façon de projeter dans nos gamètes minuscules des représentations de l'individu, avec une personnalité : les femmes seraient passives comme leurs ovules, les hommes conquérants comme leurs spermatozoïdes. Ce qu'on sait aujourd'hui, c'est que ce récit est faux : l'ovule et le spermatozoïde interagissent mutuellement. L'ovule a un rôle actif dans la fécondation, il n'est pas "transpercé" par le spermatozoïde, ainsi que le décrit l'anthropologue américaine Emily Martin : « Le spermatozoïde et l'ovule se collent ensemble grâce à la présence de molécules adhésives sur leur surface. L'ovule attrape le spermatozoïde et se colle à lui si fermement que la tête du spermatozoïde est obligée de se mettre à plat contre la surface de la zone pellucide de l'ovule.[10]»

C'est un bon exemple de la manière dont l'observation d'une "réalité biologique" peut être biaisée par les stéréotypes de genre, jusque dans la façon dont on décrit des phénomènes naturels et dont on construit la connaissance.

Les comparaisons avec d'autres espèces animales

C'est encore cette histoire de gamètes qui a servi à expliquer des comportements différents entre mâles et femelles dans diverses espèces. Puisque le "succès reproductif" d'un mâle dépendrait du nombre de femelles qu'il parvient à féconder, les mâles – comme les hommes – seraient agressifs, actifs, compétiteurs ; puisque le succès reproductif des femelles serait contraint par le nombre de ses ovules, les femelles – comme les femmes – se montreraient plus prudentes et sélectives dans leur choix de partenaire : c'est ce qu'on appelle le "principe de Bateman", du nom du généticien qui l'a formulé dans les années 1950.

Sauf que dès qu'on accepte d'étudier la réalité en dehors de ce seul prisme, on se rend compte que les comportements sont bien plus riches qu'on ne l'imaginait. C'est ce qu'a notamment montré Clémentine Vignal, professeur de biologie et d'écologie à Sorbonne Université, dans un article fascinant, « Sexe et comportement animal : des rôles naturels des sexes ?[11] », où elle détaille de très nombreux comportements animaux qui contredisent les présupposés de la théorie de Bateman. Par exemple :

- Chez les chiens de prairie, ou chez certains oiseaux comme les phalaropes, ce sont les femelles, et non les mâles, qui détiennent les territoires.
- Chez les chimpanzés, ce sont les femelles qui sollicitent activement les copulations, signalant leur réceptivité sexuelle grâce à leur tumescence génitale rouge, certaines femelles pouvant s'accoupler avec huit mâles différents en une heure.
- Les hyènes tachetées sont très agressives, dominent socialement les mâles et contrôlent la reproduction.
- Les mâles de certaines espèces participent autant, voire plus que les femelles, aux soins à la descendance : c'est le cas du hamster russe, mais aussi de 90 % des espèces d'oiseaux où les mâles participent à la protection et au nourrissage des jeunes.

10. «L'ovule et le spermatozoïde. Comment la science a construit un roman d'amour basé sur des rôles féminins et masculins stéréotypés », in *Les Sciences du désir*, Le Bord de l'Eau, 2018.
11. In *Sexe & genre, De la biologie à la sociologie*, éditions Matériologiques, 2019.

- Et mon préféré : chez les oiseaux Vogelkop Bowerbird, le mâle passe des semaines entières à confectionner une hutte géante et à la décorer avec des pétales, des baies et des herbes pour attirer une femelle, sans le moins du monde se montrer agressif.

Autrement dit, les comportements ne sont pas intrinsèquement déterminés par le sexe, c'est-à-dire par le fait de produire de petits ou de gros gamètes, et on ne trouvera pas la "vraie nature du mâle" humain en observant les animaux. En revanche, on voit bien que les biais sexistes qui préexistent aux études ont toutes les chances d'influencer le résultat de ces études. C'est ce que souligne aussi Clémentine Vignal dans le même article, où elle invite les chercheurs·es en biologie à faire évoluer leurs cadres théoriques, car, dit-elle, les sciences actuellement « contribuent à maintenir une vision dichotomique et figée qui reflète mal une réalité où les comportements des deux sexes sont souvent flexibles et induits par les circonstances environnementales ou sociales. La recherche en biologie porte donc une responsabilité dans le maintien dans l'imaginaire collectif de stéréotypes sur les comportements femelle et mâle chez les animaux. »

L'argument des hommes préhistoriques

Cet argument fait référence à un passé mythique d'hommes chasseurs et de femmes cueilleuses, qui aurait forgé des différences comportementales génétiquement déterminées. Or, comme nous l'a expliqué la paléontologue Claudine Cohen[12] dans l'épisode 33, *Cro-Magnon, ce gentleman*, on ne sait en fait pas grand-chose de la manière dont étaient organisées ces sociétés préhistoriques. On ne peut proposer que des hypothèses, des modèles, eux-mêmes influencés par le contexte culturel de l'époque où ils ont été formulés. Ainsi, l'image que nous avons de "l'homme préhistorique" violent, armé d'un gourdin, passant son temps à chasser le mammouth, tandis que sa femelle l'attend cachée dans une grotte avec plein de bébés pendus à ses mamelles, nous vient de modèles formulés au XIXe siècle et peu remis en cause jusque dans les années 1950. Or, on peut leur opposer d'autres modèles tout à fait pertinents, par exemple en regardant les sociétés actuelles de chasseurs-cueilleurs nomades : les femmes n'y sont pas terrées au fond d'une caverne (d'ailleurs on

12. Claudine Cohen est aussi directrice d'études de la chaire Biologie et société à l'École pratique des hautes études.

n'habitait pas dans des cavernes à l'époque paléolithique), mais elles participent à toutes sortes d'activités qui permettent la subsistance du groupe, en particulier la cueillette, le ramassage des œufs, d'animaux pris au piège, et elles participent même à la chasse, comme rabatteuses. On peut donc légitimement douter de la pertinence de ce modèle mythique d'une société primitive où les femmes étaient ces individues passives, condamnées à la production d'enfants.

Les arguments physiologiques

Le dernier argument est un argument physiologique : la forme des organes génitaux nous destinerait à certains comportements, certains tempéraments ; ou bien encore : les cerveaux des hommes différeraient de celui des femmes. Francis Dupuis-Déri, chercheur en sciences politiques et militant proféministe que j'ai reçu dans l'épisode 32, analyse et combat depuis quinze ans les discours misogynes et déconstruit ce genre d'arguments. Il cite par exemple le psychanalyste Guy Corneau, auteur de *Père manquant, fils manqué*[13], qui expliquait que comme « l'homme possède un sexe extérieur qui bande, pénètre, éjacule » et que de son côté « la femme possède un sexe intérieur qui reçoit et qui est humide », cela nous pousserait naturellement à certaines aptitudes psychologiques : les hommes seraient dans l'action et la décision, les femmes dans l'intériorité et la réception. C'est la même logique, souligne Francis Dupuis-Déri, qu'on retrouve dans les thèses de ce psychologue masculiniste québécois :

> « *Les éjaculations, qui projettent son sperme hors de son corps, confirment également l'existence d'un mouvement masculin qui part de l'intérieur vers l'extérieur. Contrairement à la femme, dont les organes génitaux sont intérieurs et réceptifs, l'homme possède des organes génitaux intrusifs qui prédisposent à des comportements intrusifs : pénétration de la femme certes, mais aussi pénétration de la matière, pénétration jusqu'au fond des océans, pénétration de l'immensité de l'Univers.*[14] »

Ce serait donc la raison qui pousserait les hommes à construire des sous-marins, inventer des fusées et des avions, pour pénétrer le monde et le conquérir...

13. Publié aux Éditions de l'Homme, 1989.
14. Yvon Dallaire, *Homme et toujours fier de l'être*, Québec Livres, 2015.

Face à ces arguments farfelus, Francis Dupuis-Déri conseille de retourner les métaphores : les femmes, avec leur utérus protecteur, ne seraient-elles pas les mieux placées pour « inventer et fabriquer des capsules spatiales et des sous-marins, qui abritent astronautes et marins comme l'utérus abrite le fœtus ? » Les hommes, avec leur appareil génitoire exposé, et donc fragile, ne seraient-ils pas mieux à l'intérieur des maisons, pour protéger leurs parties ? Et surtout de souligner que nos organes génitaux ne jouent aucun rôle dans la fabrication de tous ces outils et machines – en revanche, nos mains, nos cerveaux, nos yeux, nos pieds, oui.

Une autre idée qui passe pour un savoir scientifique incontestable est celle des "deux cerveaux" : les cerveaux des hommes et des femmes seraient structurés différemment depuis leur vie fœtale, car ils seraient exposés à différentes hormones pendant la période gestatoire, et c'est cela qui déterminerait leurs comportements. Mais personne n'a apporté de preuves convaincantes de cette théorie, comme l'a démontré la chercheuse en sciences sociomédicales Rebecca M. Jordan-Young[15]. Pour une raison simple : c'est impossible à démontrer, puisque la majorité des connexions neuronales se forme après la naissance, via l'expérience et la socialisation. On ne peut tester ces hypothèses que sur des cerveaux d'individus déjà nés. La neurobiologiste Catherine Vidal a ainsi expliqué que : « Le cerveau, grâce à ses formidables propriétés de "plasticité", fabrique sans cesse de nouvelles connexions entre neurones en fonction de l'apprentissage et de l'expérience vécue. Garçons et filles, éduqués différemment, peuvent montrer des divergences de fonctionnement cérébral, mais cela ne signifie pas que ces différences soient présentes dans le cerveau depuis la naissance ![16] »

ET LA DIFFÉRENCE PHYSIOLOGIQUE ENTRE LES SEXES, ALORS ?

Les sciences ne nous permettent donc pas de prouver l'existence d'une "vraie nature du mâle". On m'objectera peut-être que dire cela, c'est nier l'évidence : d'un point de vue biologique, un homme et une femme, ce n'est pas pareil. Certes. Mais si décrire des différences physiologiques est une chose (oui, les femmes ont généralement des seins,

15. Rebecca M. Jordan-Young, *Hormones, sexe et cerveau*, Belin, 2016.
16. Catherine Vidal, *Hommes, femmes, avons-nous le même cerveau ?*, Le Pommier, 2012.

peuvent mettre au monde des bébés et les allaiter), en tirer des règles de comportement et de hiérarchisation en est une autre. Par ailleurs, la définition de "sexes biologiques", qui repose en effet sur des différences physiologiques, les réduit à deux groupes binaires en prétendant refléter une réalité biologique, alors que la réalité est autrement plus complexe : il y a bien plus que deux sexes, et c'est la question dont nous avons longuement parlé avec Thierry Hoquet, dans l'épisode *La vraie nature des mâles*.

Le sexe est en effet constitué de plusieurs caractéristiques, dont la plupart ne sont pas visibles sur le corps nu : les organes génitaux internes, les gonades (les ovaires ou les testicules), les hormones sexuelles, les chromosomes ou encore les gènes. Dans la population humaine, chacun de ces éléments comporte plus de deux variantes, si bien qu'aucun de ces marqueurs ne permet de donner une définition sûre du sexe, et encore moins une définition binaire, avec deux sexes qui s'opposent.

Dans la plupart des cas, tous ces indicateurs sont alignés, et le sexe biologique correspond au genre assigné. Mais dans une part non négligeable des cas (1 à 2 %), les bébés portent une variation du développement du sexe biologique – ce sont des individus qu'on nomme "intersexes". Il existe ainsi une grande variété de variations, certaines sont visibles à la naissance, mais d'autres ne sont découvertes que plus tard (ou jamais). Ce qui fait dire à la biologiste et historienne des sciences Anne Fausto-Sterling, dans un texte fondateur, qu'il n'y a pas deux sexes qui s'opposent, mais qu'il y en a cinq[17]. Malheureusement, parce que nous sommes le plus souvent incapables de penser cette pluralité pour des raisons sociales et culturelles, le corps médical continue trop souvent à vouloir "corriger" ces corps, et donc à les mutiler, pour les faire entrer de force dans l'une ou l'autre catégorie.

Encore une fois, il ne s'agit pas de nier des faits biologiques, mais de comprendre qu'il n'existe pas de "purs humains biologiques" : on naît toujours à une époque, dans une société donnée. Les sciences elles-mêmes (les travaux sur l'épigénétique, la plasticité phénotypique, les approches écologiques du développement) nous montrent qu'il est impossible de faire la part entre la "nature" et la "culture". C'est ce

17. Anne Fausto-Sterling, *Les cinq sexes, pourquoi mâle et femelle ne sont pas suffisants*, publié en anglais en 1993, Payot & Rivages, 2018.

que souligne Thierry Hoquet lorsqu'il dit qu'il faut « prendre acte de l'indissociabilité du naturel et de l'artificiel » :

> *« Nous sommes "100 % naturels et 100 % culturels", comme le dit Anne Fausto-Sterling. Nos comportements sont à la fois innés et acquis et il est souvent impossible de mesurer la taille de l'effet, de déterminer à quel degré c'est biologique et à quel degré culturel. Un humain purement biologique n'existe nulle part : nous recevons le langage, la culture, dès avant notre naissance, par les signes et les mots qu'on nous adresse et les rêves que l'on forme à notre sujet. De même, un humain purement culturel n'existe nulle part : nous recevons une matière en partage, dès la fécondation. Et aucun humain ne peut et ne pourra se passer de nature ou de culture. Nous ne sommes ni âme pure ni corps pur, mais un* stuff, *un machin psychosomatique, à la fois et indissociablement l'un et l'autre. Autrement dit, la dualité biologique et culturelle des humains ne signifie pas une additivité des deux composantes : dire que nous sommes à la fois nature et culture, ce n'est pas dire que nous sommes faits de l'addition d'une culture à une nature. Si nous ne sommes pas faits d'une addition, pas plus ne sommes-nous susceptibles d'une soustraction, ou d'un découpage de notre être en deux parts bien séparées.*[18] »

L'assignation d'un sexe biologique est donc aussi une construction sociale, comme le montre très bien Pascale Molinier, dans la préface du livre d'Anne Fausto-Sterling : « Que le corps soit construit dans un processus biopsychoculturel ne veut pas dire qu'il n'est pas réel ou matériel, mais qu'il n'existe pas un état de nature qui pourrait être saisi en dehors du social ; nous vivons dans un monde genré où nous sommes en permanence lus et interprétés dans les catégories du genre. » Or, dit-elle, nous n'en sommes pas conscients, et elle utilise une métaphore que je trouve très parlante pour expliquer ce paradoxe, celle du ruban de Möbius : « On croit être la fourmi qui marche sur la face de la nature ou du sexe pour se retrouver sans crier gare sur la face de la culture et du genre. »

Quel que soit le côté des sciences que l'on regarde, on n'y trouvera donc pas d'éléments qui permettraient de définir la vraie nature du

18. Thierry Hoquet, *Des sexes innombrables, le genre à l'épreuve de la biologie*, Seuil, 2016.

mâle. En revanche, on peut s'interroger sur cette passion qui vise à trouver dans "la nature" la justification des inégalités entre hommes et femmes. Qu'est-ce qui nous intéresse tellement là-dedans ? Ce qu'on cherche, ce qu'on questionne, influence notre savoir scientifique. Au XIXe siècle, une "science", la phrénologie, en mesurant les crânes humains, affirmait très sérieusement détenir les "preuves biologiques" de la supériorité de certaines "races humaines" sur d'autres. On peut donc se demander, à propos de toutes ces recherches sur la différence entre les sexes : mais enfin pourquoi est-ce que ça nous intéresse tellement de savoir si, oui ou non, les cerveaux des hommes et des femmes sont différents, si les femmes n'ont pas le sens de l'orientation pour des raisons biologiques ou sociales ? Qu'est-ce qu'on cherche à démontrer ?

« Pourquoi est-ce que ça nous intéresse tellement de savoir si les cerveaux des hommes et des femmes sont différents ? »

Une auditrice m'a écrit un jour avec colère en m'accusant de déni de réalité parce que je refusais de prendre en compte toutes ces études qui prétendent nous expliquer que les hommes et les femmes sont naturellement différents. Ce n'est pas que je refuse de les prendre en compte : la science est la science, avec ses biais inévitables car les scientifiques sont aussi des humains. Mais se précipiter pour en tirer des conclusions sur comment devrait être organisée la société, comment on devrait gérer nos vies, ce n'est pas de la science : c'est de la philosophie, de la morale, de la politique. La science ne nous dit pas ce qui est bien ou mal ; elle ne peut pas nous servir de guide. Autrement dit : il serait temps d'arrêter de chercher dans la science la "véritable nature de la masculinité" !

Cela n'empêche pourtant pas certains de continuer à "faire parler" la science pour tenter d'en tirer des arguments naturalisants et essentialistes, et les utiliser pour combattre l'égalité entre hommes et femmes. Bienvenue chez les masculinistes.

Il n'y a pas de crise de la masculinité

Parce que la masculinité est très généralement envisagée comme naturelle, et comme nécessairement hiérarchique (il y aurait une "bonne" masculinité, et la masculinité c'est être supérieur au féminin), cela produit de nombreux discours sur une prétendue "crise de la masculinité".

Je veux être très claire : il n'y a PAS de crise de la masculinité – comme le rappelait le titre du tout premier épisode du podcast. Ce qui existe en revanche, ce sont des discours sur la crise de la masculinité : les hommes vont mal, la virilité se perd, les sociétés occidentales seraient hyper féminisées, les hommes ne sauraient plus comment être de "vrais hommes", ils seraient paumés et souffriraient beaucoup à cause des femmes, et à cause du féminisme, qui les briment, les oppriment, les castrent, les femmes auraient déjà tous les droits, l'égalité serait "déjà là", elles chercheraient maintenant à installer un matriarcat...

Qu'ils se disent apolitiques, centrés sur la spiritualité, de gauche ou de droite, catholiques ou musulmans, ces discours et ceux qui les relaient sont tous d'accord sur un point : les hommes souffrent, et c'était mieux avant. Avant le féminisme, avant le droit des femmes. Ils ont en commun une misogynie plus ou moins prononcée (certains vont jusqu'à commettre des attentats), la croyance qu'hommes et femmes sont et doivent rester fondamentalement différents, et donc une peur panique de l'indifférenciation et de l'égalité entre les genres.

Je veux expliquer pourquoi je refuse absolument de réfléchir à la masculinité en ces termes, et pourquoi, dans la construction des épisodes et la façon dont j'envisage ces questions, je suis très vigilante à ne surtout pas prêter le flanc à ce genre d'interprétations.

Pour cela, il me faut commencer par détailler ces discours et par décrire quelques-uns de ces mouvements qu'on peut qualifier de "masculinistes" (même si rares sont ceux qui s'en réclament, tout comme peu de gens s'affichent ouvertement racistes).

À QUOI RESSEMBLE LA MASCULINO-SPHÈRE ?

On voit se développer des discours réactionnaires, racistes et essentialistes sur la masculinité. En France, ces idées ont notamment été répandues par un polémiste d'extrême droite dans un ouvrage qui a rencontré un grand succès[19], où ce triste personnage assène par exemple que l'homme « est par nature un prédateur sexuel usant de violence », déplore que l'homme « ait perdu ses repères », soit « castré », frappé d'« un immense désarroi », « interdit de parole » et « interdit d'existence ». Pourquoi ? À cause des femmes et du féminisme, bien sûr.

Dans la même veine, on peut évoquer le site *école Major*, créé par un ancien directeur du Front national de la jeunesse, qui se présente comme « une formation pour les hommes qui ne supportent plus l'injonction moderne à la féminisation ». L'auteur est obsédé par la différenciation entre les sexes : il faut que les femmes restent « de vraies femmes », et les hommes « de vrais hommes ». On y trouve des articles pour « apprendre à boire comme un homme » (beaucoup, mais en sachant se tenir) « manger comme un homme » (ne pas manger de quinoa et de

19. Éric Zemmour, *Le Premier Sexe*, Denoël, 2006.

baies de goji, mais de la viande rouge), le tout empreint de références nostalgiques à un temps supposément idéal où chacun était bien à sa place, et marqué par la haine de celleux qui ne correspondent pas à ces idéaux extrêmement étroits. Certains hommes sont ainsi qualifiés de « flaques » : « Faible, pleurnichard, dodu, esclave de la mode et de la télé, à l'écoute de ses émotions et de son côté féminin, ce type de mâle ne se soucie même pas de la beauté des femmes », et ne saurait donc être attiré que par des femmes « dégénérées ». Le comportement « normal, naturel et sain » de « l'homme authentique » serait de préférer «les femmes *en bonne santé* aux *baleines terrestres*, les jeunes filles au *corps intact et sain* aux *tatouées aux cheveux bleus*, les femmes *élégantes* et bien élevées aux *pétasses insolentes* ». Une survalorisation du corps sain, valide, musclé, qui rappelle l'obsession fasciste des corps parfaits.

Ce n'est pas nouveau, cette idée que les hommes sont en danger. Dès que les femmes ont eu un peu plus de droits, ou qu'un changement s'est produit dans l'ordre du genre, à cause de bouleversements politiques, ou économiques, sont apparus des discours sur la crise de la masculinité. Quelques exemples, donnés par le politologue Francis Dupuis-Déri, qui étudie depuis quinze ans ces discours et les démonte dans un essai génial (et souvent drôle)[20] : dans la Rome antique, au IIe siècle av. J.-C., Caton l'Ancien se plaint que les hommes soient dévirilisés car des femmes demandent à avoir le droit de conduire des chars et de mettre des vêtements colorés ; à la cour d'Angleterre du XVIe siècle, on déplore que les femmes s'habillent comme des garçons, et portent les cheveux courts ; aux États-Unis, dans les années 1930, au moment du mouvement des suffragettes qui se battaient pour le droit de vote des femmes, le président Wilson les qualifie de « monstres » exécrables, asexuées et masculines.

C'est comme si les hommes avaient toujours été en crise... et c'est bien compréhensible, car la masculinité telle que la définissent ces hommes ne peut qu'être en crise : forcément instable, incertaine, fragile, parce que toujours susceptible d'être contestée. Le moindre changement dans l'ordre du genre, et ils se sentent attaqués – que les femmes se battent pour leur droit à un salaire égal, à avorter ou à

20. Francis Dupuis-Déri, *La Crise de la masculinité : en finir avec un mythe tenace*, éditions du Remue-Ménage, 2018.

faire du vélo – cela ne peut que provoquer l'inquiétude de ceux qui croient à un ordre du genre stable et immuable, et à une supériorité masculine intrinsèque : qui suis-je, se demandent-ils, si les femmes ont les mêmes droits que moi ?

Les attentats masculinistes

Les attentats masculinistes sont la traduction la plus extrême de cette idéologie antiféministe et misogyne. En 1989, à l'École polytechnique de Montréal, un homme a assassiné 14 femmes, en déclarant "Je hais les féministes"[21]. Le tueur a été présenté comme un "détraqué" par les médias et les policiers, mais il s'agissait bien d'un acte politique (et ses adorateurs ne s'y trompent pas ; car oui, certains le voient comme un héros ou un martyr)[22].

Récemment, plusieurs massacres de femmes ont été commis par des hommes qui se réclament de la mouvance *incel* (de l'anglais "*involontary celibate*", célibataire involontaire)[23]. Leur analyse, c'est qu'ils sont célibataires parce qu'ils sont trop gentils, et que les femmes sont des "salopes" qui prennent plaisir à les maltraiter, les humilier et, crime suprême, à refuser d'avoir des rapports sexuels avec eux (alors qu'ils estiment y avoir *droit*). Ils se regroupent par dizaines de milliers sur internet pour de longues conversations misogynes truffées d'appels au meurtre et au viol de femmes. Interrogé par une journaliste sur les récents massacres commis par des incels, un professeur de psychologie américain, chantre du discours sur la crise de la masculinité dont la chaîne YouTube est suivie par des millions d'abonnés, a ainsi répondu : « C'est ce qui arrive quand on prive les hommes de femmes. La solution, c'est le mariage obligatoire.[24] »

Rappelons donc que le terrorisme masculiniste existe, et qu'il faut le nommer pour ce qu'il est : du terrorisme. Et qu'il n'y a jamais eu d'attentat féministe.

21. Écouter sur ce sujet Monique Simard, figure féministe, culturelle et syndicale québécoise, qui était sur la *kill list* du tueur, interviewée dans l'épisode 160 du podcast *Programme B*.
22. Lucile Bellan et Thomas Messias, « Polytechnique, le massacre qui fascine encore ceux qui ont la haine des femmes », *Slate*, 6 décembre 2017.
23. Comme en 2014 à Santa Barbara aux États-Unis (6 mort·es), et en 2017 à Toronto au Canada (10 mort·es).
24. Nellie Bowles, Jordan Peterson, « Custodian of the Patriarchy », *New York Times*, 18 mai 2018.

Si vous êtes sensibles à ce genre de rhétorique, ou si vous vous retrouvez en face de personnes qui l'utilisent, deux conseils : d'une part, rappeler que ces discours ont existé partout, tout le temps, à toutes les époques. Et donc si les hommes ont toujours été en crise, c'est qu'ils ne l'ont jamais été. D'autre part, ne pas chercher à nier les sentiments de ces hommes qui prétendent souffrir car ils "sont perdus", "en manque de virilité"... mais toujours recadrer la discussion sur le plan factuel, objectif : dans ces sociétés supposément en proie à cette "crise de la masculinité", qui détient le pouvoir économique, culturel, politique ? Qui possède les richesses ? La domination n'est pas qu'une question de caractère et de force psychologique, c'est aussi d'abord une question de contrôle des ressources et de bénéfices concrets tirés du travail des autres.

En fait, on le voit, ces discours sur les dangers qui guettent les hommes servent surtout à réaffirmer la suprématie masculine. Bien sûr, je ne nie pas que ces hommes masculinistes soient en souffrance : ils disent qu'ils souffrent, c'est donc qu'ils souffrent. C'est leur analyse que je conteste : si les masculinistes voulaient vraiment diminuer les souffrances des hommes, peut-être pourraient-ils s'attaquer à "la racine du mâle" : la masculinité définie comme domination sur d'autres hommes et sur les femmes. Or leur réponse passe toujours par *plus* de masculinité : dominer les autres, les humilier, se servir des femmes comme objets sexuels ou outils de revalorisation narcissique, s'apitoyer sur leurs propres souffrances, en les déconnectant des structures politiques dans lesquelles cette souffrance est produite. Par exemple, la majorité des victimes d'homicides dans le monde sont des hommes (81%), qui sont tués par d'autres hommes (90% des auteurs d'homicides)[25].

Si leur but était d'empêcher les souffrances des hommes, alors les masculinistes rejoindraient les combats antisexistes et féministes. Car, comme l'a brillamment démontré Olivia Gazalé dans son essai, *Le Mythe de la virilité*, l'idéologie viriarcale est aussi un piège qui finit par nuire aux hommes :

> « *Le modèle normatif de la virilité n'oppose pas seulement l'homme à la femme, ni même l'homme viril à l'homme efféminé, mais aussi le maître à l'esclave ou au "sous-homme", cette fois sous l'angle*

25. Rapport sur les homicides, Office des Nations unies contre la drogue et le crime, 2017.

sociologique, racial ou religieux, la supériorité des uns ayant nécessairement besoin de l'infériorité des autres, qu'il soit "mécréant", juif, arabe, noir ou domestique. La comparaison hiérarchisante avec l'Autre est donc centrale dans la construction de la virilité. Être un homme, c'est dominer. Pas de suprématie sans un inférieur à mépriser, voire à humilier. »

Le coût pour tous ceux qui, pour une raison ou pour une autre, ne se conforment pas à la masculinité dominante, est aussi exorbitant, et le restera tant que la masculinité sera construite comme une domination. Ainsi, la violence homophobe est un produit de cet ordre hétérosexiste et patriarcal ; il en a notamment été question avec Didier Eribon, dans l'épisode 45. En 2013, on apprenait d'un rapport remis au Sénat que, confrontés à la violence homophobe et au rejet de leurs proches, 30 % des homosexuels de moins de 25 ans avaient déjà tenté de se suicider. Tous âges confondus, les personnes lesbiennes, gays et trans se suicident en moyenne quatre fois plus que le reste de la population.

La domination masculine, le système patriarcal et hétérosexiste, génère en effet d'énormes coûts et souffrances : collectivement, combien de temps, d'argent, d'énergie consacrons-nous, dans le monde, à gérer les conséquences de cette masculinité souveraine et violente – criminalité, violences sexuelles, féminicides, violences conjugales, accidents de la route… ? Et si ces coûts pèsent d'abord sur les femmes, il y a aussi des coûts secondaires pour les hommes – c'est pourquoi il ne faut pas parler de "coûts de la masculinité" mais de coûts de la domination masculine.

QUI GAGNE PERD ?

Dans les coûts de la domination masculine, mentionnons tout d'abord les coûts psychologiques pour se conformer à des rôles de genre rigide (être toujours performant, ne jamais être faible ni vulnérable…). La plus grande association de psychologues aux États-Unis publiait ainsi l'an passé un rapport sans ambiguïté : la masculinité traditionnelle nuit à la santé mentale et physique des hommes[26]. Si ces coûts sont difficilement mesurables, il faut les avoir en tête : peut-on vraiment mener une vie heureuse et épanouissante quand on est ainsi contraint, limité dans son développement psychologique, relationnel et émotionnel, quand on est dissuadé d'exprimer certaines émotions ou certains besoins ?

Un grand nombre de faits sociaux peuvent aussi être analysés en termes de coûts de la domination masculine pour les hommes – je vais en citer deux : l'alcoolisme et les accidents de la route. Comme l'ont montré les chercheurs Nicolas Palierne et Ludovic Gaussot, invités de l'épisode 44, *Il a bu son verre comme les autres*, les hommes sont trois fois plus nombreux que les femmes à mourir d'alcoolisme en France. L'alcool est au cœur de l'image traditionnelle de l'homme et reste profondément enraciné dans la culture française : indissociable du repas (notamment le vin), mais aussi d'un certain art de vivre, il est également perçu comme l'héritage du père – on boit comme lui, la même chose, de la même façon. On laissera tranquille une fille qui ne boit pas, mais un garçon qui refuse de boire sera souvent moqué, exclu, humilié ("même les filles boivent, regarde"). Considérant comme un fort symbole de virilité la consommation d'alcool et leur propre capacité à la contrôler, les hommes refusent généralement d'entendre les conseils de leur médecin. Ils sous-estiment leur propre consommation, et le vin comme la bière ne sont pas considérés comme dangereux.

Si on regarde du côté des accidents de la route – on en a discuté avec le sociologue Yoann Demoli, dans l'épisode 28, *Des hommes et des bagnoles* –, la surmortalité des hommes vient aussi en partie de cette culture viriliste. Les conducteurs ont deux à trois fois plus de risques de mourir lors d'un accident de la route que les conductrices, alors qu'ils ne conduisent que 20 % en plus. « La voiture depuis ses débuts est considérée comme un engin d'exploits sportifs, un véhicule où justement on peut mettre à l'épreuve sa virilité : conduire vite, conduire dangereusement », analyse-t-il. Rappelons ces chiffres, fournis par la Sécurité routière : 92 % des conducteurs impliqués dans des accidents mortels avec un taux d'alcool positif sont des hommes ; les hommes sont deux fois plus nombreux que les femmes à affirmer prendre

26. *Guidelines for Psychological Practice with Boys and Men*, American Psychological Association, 2018.

volontairement des risques sur la route et le volant après avoir un peu bu (13 % contre 7 %) ; 39 % des hommes de moins de 35 ans reconnaissent dépasser les limitations de vitesse et 58 % d'entre eux disent rouler plus vite que la vitesse autorisée simplement parce qu'ils aiment ça (contre 14 % des femmes).

Le vrai coût de la domination masculine, il est là : ces injonctions viriles qui poussent les hommes à adopter des comportements dangereux pour eux-mêmes (et pour les autres) – en sachant que l'alcool et l'insécurité routière ne sont que deux exemples parmi d'autres. Pourtant, curieusement, de ces vrais coûts, les masculinistes ne parlent pas...

C'est là un point crucial sur lequel je veux insister : le patriarcat et l'ordre hétérosexiste nuisent à l'ensemble de la société et aux individus qui la composent. Ils nous affectent différemment en fonction de nos positions sociales respectives, mais d'un point de vue humain, nous gagnerions toustes à renverser cet ordre injuste. Et ça ne pourra pas se faire sans les hommes. Comme le résume parfaitement la militante afro-américaine bell hooks : « Les hommes ne sont ni exploités ni opprimés par le sexisme, mais ils souffrent de certaines façons des conséquences de celui-ci. Cette souffrance ne devrait pas être ignorée. Et si elle ne minimise en rien la gravité des violences masculines et de l'oppression des femmes ni ne nie la responsabilité masculine dans les actes d'exploitation, la souffrance vécue par les hommes peut servir de catalyseur pour attirer l'attention sur la nécessité de changement.[27] »

27. bell hooks, *De la marge au centre : théorie féministe*, Cambourakis, 2017.

De la virilité aux masculinités

Si la masculinité n'est pas une essence biologique ou spirituelle, si elle n'est pas un archétype historique fixe, alors qu'est-ce que c'est ? Comment expliquer qu'à travers les siècles le modèle de masculinité dominante ait tellement évolué, sans pour autant abolir la domination masculine ? Comment rendre compte de la complexité de toutes les vies d'hommes dans notre société ? Comment décrire les différentes masculinités susceptibles d'être incarnées par, disons, un président de la République, un chasseur, un footballeur, un patron du CAC 40 ou un camionneur, et surtout comment décrire les rapports de pouvoir entre eux ?

Si la domination masculine existe (au sens du groupe des hommes qui tire des avantages de sa domination sur le groupe des femmes), on ne peut en effet pas faire comme si tous les individus du groupe des hommes exerçaient de la même manière une domination sur le groupe des femmes, avec les mêmes privilèges, les mêmes coûts et les mêmes bénéfices. Car la masculinité impose non seulement une hiérarchisation des hommes sur les femmes, mais aussi une hiérarchisation des hommes entre eux : il faut donc tenir ensemble les dominations de genre, mais aussi de classe sociale, de race, de sexualité, d'âge, et comprendre comment celles-ci interagissent.

Dans les années 1990, une sociologue australienne, Raewyn Connell, propose un nouveau modèle pour comprendre comment se construisent, se configurent et interagissent différentes masculinités dans nos sociétés[28]. La découverte de ses textes a été pour moi une révélation. Il n'y a pas une masculinité, explique Raewyn Connell, mais des masculinités. Non pas des types fixes de masculinité, mais plutôt des processus, des rapports de pouvoir en tension : pour se légitimer, les masculinités en position de pouvoir sont constamment en train de se distinguer et de déprécier d'autres types de masculinités. Ce modèle permet à la fois de ne pas envisager les masculinités comme un bloc et de penser les hiérarchisations des masculinités entre elles.

« La masculinité impose non seulement une hiérarchisation entre hommes et femmes, mais aussi une hiérarchisation des hommes entre eux. »

Raewyn Connell propose ainsi de distinguer les masculinités hégémoniques, complices, subordonnées et marginalisées.

La masculinité hégémonique, explique-t-elle, « correspond à la façon actuellement la plus reconnue d'être un homme, implique que les autres hommes se positionnent par rapport à elle, et permet de légitimer d'un point de vue idéologique la subordination des femmes à l'égard des hommes ». Mais ce n'est pas un attribut (qu'on aurait plus ou moins), ou un type de caractère fixe. Ce n'est pas la masculinité incarnée par la majorité des hommes. La masculinité hégémonique ne

28. Raewyn Connell, *Masculinités : enjeux sociaux de l'hégémonie*, Amsterdam, 2014.

s'impose pas par la force, mais par l'adhésion idéologique des autres masculinités, et elle est donc susceptible d'être sans cesse contestée.

La masculinité hégémonique dépend des contextes, par exemple des pays (ce n'est pas la même au Japon ou en France, même si elles peuvent avoir des points communs), de l'échelle à laquelle on se place (au niveau mondial, par exemple celle des milieux de la finance globalisée / au niveau local, par exemple celle des toreros en Andalousie), de l'époque (la masculinité hégémonique n'est pas la même aujourd'hui qu'il y a 50 ans), des milieux sociaux (la masculinité hégémonique des universitaires n'est pas la même que celle des viticulteurs). Elle ne correspond pas non plus à la masculinité qui condense le plus d'attributs virils, car la virilité peut être aussi associée à des formes dévalorisées de masculinité, comme celle des dockers, jugés frustes, rustres, des "gros bras" ou des amateurs de tuning, des hooligans : tous jugés très virils, mais surtout *trop* virils.

Les masculinités complices, ce sont celles des hommes qui adhèrent idéologiquement à la masculinité hégémonique, sans toutefois en bénéficier ou l'incarner pleinement – ce qui concerne la majorité des hommes. Comme le précise Connell :

> *« Ils bénéficient de cette hégémonie, en tant qu'ils bénéficient des dividendes du patriarcat, c'est-à-dire des avantages que le groupe des hommes tire de la subordination des femmes [...] Parmi les hommes qui récoltent les dividendes du patriarcat, nombreux sont ceux qui respectent aussi leur femme et leur mère, ne sont jamais violents vis-à-vis des femmes, ont l'habitude de faire leur part de tâches ménagères, subviennent aux besoins de la famille et peuvent aisément se convaincre que les féministes ne sont que des extrémistes qui passent leur temps à brûler des soutiens-gorge. »*

Les masculinités subordonnées sont des masculinités discréditées, dévalorisées, ce sont des modèles "repoussoir". Par exemple : toutes les masculinités jugées trop efféminées, comme les masculinités gays. Quant aux masculinités marginalisées, elles sont en lien avec la classe et la race – par exemple, les masculinités noires en France ou aux États-Unis. Des membres de ces groupes peuvent très bien accéder à des postes de pouvoir, sans que cela bénéficie globalement à leur groupe. Ainsi, l'élection de Barack Obama à la présidence des États-

Unis n'a pas amélioré globalement la situation de tous les hommes noirs du pays (ils n'ont pas moins été victimes de violences policières, par exemple). Dans l'épisode 42 consacré aux masculinités asiatiques, Stéphane Ly-Cong et Stewart Chau ont ainsi décrit les stéréotypes et les injonctions contradictoires dans lesquels les hommes asiatiques en France étaient pris, malgré eux (entre fétichisation sur le marché de la séduction et dévalorisation de leur masculinité jugée comme efféminée).

Les masculinités hégémoniques se reconfigurent sans cesse, en fonction des critiques qui leur sont adressées, et parfois même en récupérant des éléments des masculinités subordonnées : ainsi une forme de masculinité hégémonique dans les zones urbanisées occidentales peut très bien se mettre à intégrer des éléments de la culture gay (par exemple, des styles vestimentaires), sans que cela ne change rien aux rapports de pouvoir entre les deux (ce n'est pas parce que des hommes hétéros décident de mettre des jeans slim que l'homosexualité sera mieux acceptée). Et même intégrer des concessions faites au féminisme, ou des éléments associés au féminin : ce n'est pas parce qu'il est plus courant que des hommes changent les couches de leurs bébés, ou qu'ils apprennent à "se livrer", à "exprimer leurs émotions", que cela remet fondamentalement en cause la domination masculine. Au contraire : c'est le fait d'intégrer les critiques qui permet à la domination masculine de se perpétuer.

L'un des grands intérêts de ce modèle proposé par Raewyn Connell est politique : il permet d'envisager comment et pourquoi certains groupes d'hommes peuvent avoir intérêt à la transformation progressiste de l'ordre du genre, puisque eux-mêmes ne bénéficient pas de l'ordre actuel, et que le maintien de cet ordre leur coûte finalement assez cher (en pauvreté, en violence, en dépression…). Ce modèle permet donc d'imaginer un ébranlement, ou au moins un renversement de l'ordre du genre, d'imaginer une "politique de sortie" de la masculinité hégémonique. Ce qui est quand même beaucoup moins déprimant politiquement, quand on est féministe, que de croire que la domination masculine va se perpétuer sans qu'aucun changement ne soit possible.

Comprendre les dynamiques du pouvoir — l'exemple de la communauté de la séduction

La "communauté de la séduction" avec ses "pick-up artists" (artistes de la drague) étudiée par l'anthropologue Mélanie Gourarier est un modèle miniature de ce système de configuration des masculinités (et aussi un bon exemple de discours masculiniste). Si vous avez déjà googlé des phrases comme *Comment draguer une femme, Comment sortir de la friendzone, Comment la mettre dans mon lit,* alors il est probable que vous soyez tombé·es sur des forums et des articles de cette mouvance.
À l'origine, dans les années 1990 aux États-Unis, il s'agissait d'un groupe de parole entre hommes, qui cherchaient à discuter de ce qu'était la condition masculine contemporaine. Ils en sont arrivés à la conclusion que cette condition masculine était en souffrance à cause d'un affaiblissement de la position masculine dans les rapports de séduction hétérosexuels.
Ils ont le sentiment que les femmes ont un immense pouvoir : celui de refuser leurs avances et d'abuser du désir qu'elles provoqueraient. Dans leur système de classification, le modèle valorisé (hégémonique) est celui de l'Alpha mâle, le grand séducteur ; le modèle repoussoir (subordonné) est celui de l'AFC (*average frustrated chump,* le pauvre type frustré) ; la communauté fonctionne comme une "école de la masculinité", où, au terme d'un long travail sur eux-mêmes, les AFC peuvent devenir des Alpha mâle.
Ils tiennent à se distancer à la fois d'une masculinité trop efféminée (une discussion récurrente dans ces groupes, c'est comment bien s'habiller sans "faire pédé") et d'une masculinité qu'ils qualifient de "too much", trop virile, grossière. Le but n'est pas forcément d'avoir des relations sexuelles avec le plus de femmes possibles : « Les femmes sont vues comme des intermédiaires pour pouvoir finalement renforcer leurs rapports entre eux, entre hommes, note Mélanie Gourarier. Elles ne sont pas du tout la visée de leur séduction, ou de façon ponctuelle. Très rapidement pour se positionner dans la communauté comme un grand séducteur, il faut exprimer un désintérêt vis-à-vis des femmes, et c'est tout le paradoxe : le séducteur, autrement dit l'homme accompli, s'épanouit dans l'éloignement des femmes. »
Finalement, l'Alpha mâle se révèle être celui qui contrôle, corrige et conforme sa masculinité. En fait il s'agit avant tout, en séduisant les femmes, de s'apprécier entre hommes.

Par ailleurs, penser les masculinités comme des configurations de pratiques sans arrêt en reconfiguration permet de saisir la masculinité comme une réalité sociale complexe. Cela permet de tenir ensemble des approches et des contradictions apparentes : le fait que les masculinités soient à la fois des pratiques et des rôles, des incarnations individuelles et des idéaux culturels, des pièges et des privilèges, qu'elles aient des bénéfices et des coûts, que certaines soient valorisées et d'autres non, qu'elles soient incarnées et que tout cela change sans cesse. J'essaie donc, quand je construis mes épisodes, d'examiner le sujet que je choisis (l'alcool, l'automobile, la séduction…) par tous les prismes : celui de la hiérarchisation entre masculinités, de la performance, des injonctions viriles, de l'incarnation concrète.

POUR ALLER PLUS LOIN

- *Introduction aux études sur le genre* (De Boeck)
- *Encyclopédie critique du genre* (La Découverte)
- *Contre le masculinisme, Guide d'autodéfense intellectuelle*, Collectif Stop Masculiniste (Bambule)
- *Histoire de la virilité*, sous la direction de G. Vigarello, A. Corbin et J.-J. Courtine (Seuil)

Ce modèle souple et dynamique permet une vraie richesse d'analyse, une vraie compréhension de ce que sont les masculinités contemporaines. Par exemple, le chercheur Benoît Coquard a étudié les masculinités dans un milieu rural de l'est de la France. Il était l'invité de l'épisode 28 et, dans les pages qui suivent, vous retrouverez une partie de notre conversation.

Les gars du coin

Sociologue, Benoît Coquard travaille depuis plusieurs années sur les milieux ruraux. Il est membre du CESAER (INRA, Dijon). Auteur d'une thèse de sociologie « Sauver l'honneur. Appartenances et respectabilités populaires en milieu rural », il a publié de nombreux articles dans des revues scientifiques, et collabore régulièrement à des journaux comme *Le Monde diplomatique* ou à des sites comme *Contretemps.*

Direction le Grand Est, dans des villages à la campagne. Benoît Coquard y a passé trois années à fréquenter un groupe d'une vingtaine de personnes, pour la plupart des hommes âgés de 18 à 40 ans, surnommés "la bande à Boris". Il a partagé leurs "apéros entre potes", s'est entraîné avec eux au club de foot, a écouté et observé ces hommes ouvriers, employés, artisans, peu représentés dans les médias ou les œuvres culturelles.

En lisant les articles de Benoît Coquard, puis sa thèse, j'ai eu l'impression de retrouver le village où j'ai grandi, dans le Berry. Une impression confortée après l'émission par le grand nombre de messages que nous avons reçus de gens qui s'étaient reconnus – pas seulement dans le Grand Est, mais dans toute la France.

Comment se structure la masculinité dans un milieu populaire et rural ? Qu'est-ce qui sépare le "bon gars", "le vrai pote sur qui on peut compter" de la figure méprisée du "cassos" ou du "schlag" ? À travers un exemple étudié dans tous ses détails, Benoît Coquard propose une réflexion fascinante sur la classe et le genre. Extraits choisis.

À quoi ressemble le milieu rural que vous avez étudié ?

On n'est pas ici dans le « rural contemplatif ». Il y a tout un milieu rural en France qui se repeuple, où s'installent des néoruraux, des gens issus des classes supérieures ou des classes moyennes cultivées, mais ça, c'est le rural qui est beau, avec de beaux paysages. Ici, rien à voir : ce sont de grandes plaines céréalières, des zones industrielles. Ça a son charme, mais ce n'est pas là qu'on va construire des résidences secondaires en priorité... Sauf si on veut être tranquille, parce que ce sont les régions qui se dépeuplent le plus en France – plus que pendant l'exode rural. Et, évidemment, les jeunes qui partent sont ceux qui ont fait des études et obtenu des diplômes, parce qu'ils n'ont pas de perspective d'avenir sur place.

Les jeunes qui restent, ce sont ceux que vous avez étudiés, cette fameuse « bande à Boris ». Qui sont-ils donc ?

Dans la zone que j'ai étudiée, il y a à peu près deux cents jeunes qui se connaissent, qui sont du coin, qui interagissent. Ils ont été à l'école ensemble, ils ont bossé ensemble, certains sont sortis ensemble... Mais ils se divisent en ce que les jeunes appellent des "clans", ou des petites bandes de potes. Ils établissent une distinction claire entre les gens qu'ils fréquentent presque par contrainte (ils disent : « On croise toujours les mêmes têtes, on est bien obligés de leur dire bonjour, mais au final ça nous soûle un peu. ») et les « vrais potes sur qui on peut compter ».

La bande à Boris, c'est un de ces petits clans-là, et l'un des plus valorisés. Pourquoi ?

Parce qu'il est constitué de ceux qui ont la meilleure réputation, des jeunes qui ont bien réussi, notamment des hommes qui ont réussi à se stabiliser, à entrer très tôt sur le marché matrimonial et professionnel. Et comme ils sont tout le temps tous ensemble, l'effet de réputation individuelle est encore accru par cette « vraie bande de potes » à qui beaucoup voudraient ressembler. Ensemble, ils arrivent à ouvrir des locaux associatifs, à tenir plus ou moins un club de foot... Donc ils sont visibles, on sait que ce sont des bons gars qui travaillent et qui, en plus, sont des vrais amis, s'entraident les uns les autres, sont casés, sont en couple, sont très fêtards, pratiquent différents sports et notamment des sports de combat, bref, sont valorisés localement.

Quels sont les différents modèles auxquels on peut ressembler quand on est un homme dans un milieu rural ?

Les modèles ont bougé. Ça passe beaucoup par un rapport plus ou moins conflictuel au modèle familial. D'un côté, ceux dont le père a été ouvrier industriel, a perdu son emploi et a connu plus ou moins une descente aux enfers, et qui ne veulent surtout pas lui ressembler. On observe donc des stratégies d'évitement de la condition ouvrière, qui peuvent se retrouver dans la fuite vers les métiers de l'armée, notamment pour devenir pompier de Paris, ou dans un certain discours qui consiste à dire qu'on ne va pas prendre de cuite, qu'on ne va pas boire trop d'alcool, qu'on ne va surtout pas fumer de joints... et à l'inverse faire beaucoup de muscu, de la course de fond – autrement dit, avoir un corps sain. Dans ces familles, on met vraiment à distance la figure ouvrière un peu déchue du père.
De l'autre côté, il y a ceux qui arrivent à bien s'en sortir localement sans être en conflit direct avec leurs parents, ceux qui viennent de familles plus stables et qui, davantage qu'un type de discours ou une forme de

masculinité hyper normée, valorisent le fait de faire partie des bonnes bandes de potes et d'être « un vrai pote sur qui compter ». C'est-à-dire qu'on peut opposer ceux à qui on ne peut pas faire confiance (et qui de toute façon ne peuvent pas faire partie de la bande) et ceux qui, par exemple, pourraient faire passer les amis avant la famille. Je me suis rendu compte petit à petit que ce n'était pas simplement un discours sur l'amitié en tant que telle, mais bien un discours sur la masculinité, parce que ceux qu'on excluait de ces bandes de potes et qu'on ne jugeait pas dignes de l'amitié étaient aussi niés dans leur masculinité. Typiquement, ceux qui n'avaient pas de boulot depuis longtemps, qui prenaient de la drogue (ou qu'on soupçonnait d'en prendre) : avec eux, il y avait des confrontations directes. Quand vous vivez en milieu rural, vous n'écrivez pas simplement sur Internet, vous vous voyez dans la rue et vous vous alpaguez, vous vous insultez si vous ne vous aimez pas...

Dans les autres formes de masculinités disponibles en milieu rural, il y a peut-être celle du petit notable par exemple ?
En milieu rural, il n'y a pas de grands bourgeois qui fréquentent les jeunes de classes populaires. Par contre, il y a une petite bourgeoisie à capital économique, par exemple les artisans ou même les agriculteurs qui, eux, peuvent un peu jouer le rôle de ce qu'on appelle en sociologie les "entrepreneurs de morale". Ils disent par exemple aux jeunes : « aujourd'hui, il faut se mettre à son compte, c'est comme ça qu'on fait de l'argent » – et avoir de l'argent par soi-même, ne pas avoir de patron ou pouvoir « dire merde » à son patron, ça, c'est une forme de masculinité très valorisée. On valorise aussi le fait d'habiter en milieu rural parce que « personne ne vient nous dire comment nous comporter ». Des enquêtés m'ont dit : « Ici c'est la Corse sans la mer. » En fait, c'est très valorisé de dire qu'on mène soi-même sa vie alors même qu'on est dans un milieu populaire et qu'on travaille dans des métiers plutôt d'exécutants. Il faut dire que dans ce milieu rural-là, vous n'êtes pas confronté directement à la figure du manager au-dessus de vous ; finalement, vous n'êtes pas contredit dans votre manière d'être un homme.
[...] La masculinité légitime localement, c'est celle des jeunes de classes populaires qui composent la majeure partie de la population locale. Là où j'enquête, ouvriers et employés [composent environ] 70 % de la population. Si bien qu'il n'y a pas de confrontation à un autre type de masculinité.

Comme il n'y a plus de bars dans les villages, où se retrouvent tous ces jeunes de la bande à Boris ? Et que font-ils, concrètement ?
Les gars de la bande à Boris ne veulent surtout pas traîner dans la rue. Traîner dans la rue, c'est dévalorisant, c'est pour les cas sociaux. Comme ce sont des jeunes de classes populaires, ils ont vécu ça à l'adolescence et maintenant qu'ils ont un statut un peu stable, qu'ils ont commencé à gagner de l'argent et qu'en plus ils savent travailler de leurs mains, ils ont acheté une maison (on est dans les régions où le bâti est le moins cher de France) qu'ils retapent eux-mêmes.

C'est cette maison qui sert à l'accueil de la bande de potes – la maison dans laquelle on a investi, et dans laquelle on peut aussi montrer qu'on est un gars qui sait bosser, qui a des copains pour l'aider. [...] Boris, par exemple, avait très bien compris ça. Sa maison a toujours été aménagée pour l'accueil des sociabilités du groupe. Quand vous rentrez chez lui, vous avez parfois l'impression que c'est une salle de jeux pour adultes, avec un bar, un billard, des jeux de fléchettes, de très grands canapés... Et c'est ouvert sur l'extérieur, pour que tout le monde voie que les copains sont là, pour bien montrer qu'on est comme ça, dans un clan soudé, où on se voit quatre ou cinq fois par semaine. Donc finalement, les bars sont là, de manière informelle, mais ils ont été remplacés : les bars, c'est chez les gens. [...]

La masculinité c'est aussi toujours un rapport aux femmes, aux copines, aux conjointes. Dans la bande que vous étudiez, dites-vous, c'est mal vu d'être célibataire, mais en même temps il ne faut surtout pas avoir l'air d'être dominé par sa femme. Ils ont même une expression pour ça : « Elle lui a mis la laisse. »

C'est une expression très parlante, qui dit que c'est la femme qui décide : on avait un copain qui faisait partie de la bande, qui était là régulièrement, mais qui n'en fait plus partie parce que sa femme en a décidé autrement. Parce que pour faire partie de la bande, concrètement, il faut arriver à consacrer du temps aux amis, quatre ou cinq fois par semaine, et le coût de ça, c'est d'arriver à aménager du temps par rapport au temps conjugal. Celui qui se fait sortir des sociabilités masculines, de l'extérieur, on a l'impression que c'est sa femme qui a décidé, c'est la honte pour lui, on va dire : « C'est elle qui lui a mis la laisse. » Mais ça ne concerne que peu de cas dans mon enquête, parce que, la plupart du temps, cela se produit dans des couples où la femme a un meilleur statut professionnel et un meilleur salaire que l'homme, ce qui est relativement rare en milieu rural.

Les gars sur lesquels j'ai enquêté gagnent quand même bien leur vie. Ils ont très tôt accès à la propriété, alors que les femmes, elles, ont du mal à accéder au marché de l'emploi, essentiellement composé d'emplois très précaires, dans les secteurs du care – en gros, elles s'occupent des personnes âgées, parce que ce sont des départements vieillissants. C'est très mal payé, elles travaillent à mi-temps, et ce n'est pas du tout valorisant pour elles : personne ne les voit faire la toilette d'un vieux à 15 km de chez elles. C'est tout le contraire avec les emplois masculins : le jeune maçon qui va refaire un mur dans le village, tout le monde le voit travailler, le klaxonne en passant, lui apporte une canette... Et on dira : « T'as vu le bon jeune, il travaille bien. » Quel pourrait être l'équivalent pour une jeune femme, à part peut-être tenir la caisse à la boulangerie ? Et encore, c'est quand même relativement peu valorisant, on ne va pas dire : « Ah, elle a un savoir-faire en rendant la monnaie. » Alors qu'on dira d'un jeune homme : « Celui-là, il a des mains en or », juste parce qu'il taloche un mur à toute vitesse et que les gens le voient travailler.

Et quel est le rôle de la paternité dans la bande à Boris ?

Je pensais que la paternité allait un peu saper cette dynamique d'une bande construite autour des hommes, parce que la grossesse serait décidée par la mère, qui l'imposerait plus ou moins à son conjoint. Mais je me suis rendu compte que dans la majorité des cas, les hommes avaient largement leur mot à dire sur l'arrivée de l'enfant, et que, en fait, dans un clan ou dans une petite bande, ils se mettaient à tous avoir des enfants au même moment. Parce que dès que l'un d'entre eux s'est réalisé comme ça, les autres ont suivi. Quand Boris, qui était un peu le chef de bande, a commencé à avoir des enfants et à le valoriser (ses enfants étaient devenus les petits protégés de la bande, ils étaient nés dans la bande, ils y participaient), les autres aussi se sont lancés dans la carrière paternelle. [...]

Vous dites que l'entre-soi masculin des classes sociales supérieures peut être plus violent et plus misogyne que l'entre-soi masculin que vous connaissez dans votre milieu d'origine.

Ce qui m'a frappé, c'est qu'une fois qu'on fait partie de la bande d'amis, qu'on a une bonne réputation, qu'on n'a plus rien à prouver parce que tout le monde se connaît depuis l'enfance, il n'y a pas besoin de surjouer une espèce de virilité hyper misogyne, par exemple en décrivant dans le détail ses conquêtes sexuelles. Alors que dans des milieux où les gens se connaissent peu – le milieu étudiant, par exemple, avec des jeunes de classes moyennes cultivées – il y a une espèce de forme de retenue à avoir devant les femmes, mais dès qu'on se retrouve entre hommes, le discours se lâche. Ça m'a choqué : je croyais qu'il y avait une forme de cohérence entre la manière de se comporter en présence des femmes et les propos dans l'entre-soi masculin. Parce que je la vivais, cette cohérence, en milieu rural.

PRIVILÈGE

« L'humanité est mâle et l'homme définit la femme non en soi mais relativement à lui ; elle n'est pas considérée comme un être autonome. Il est le Sujet, il est l'Absolu – elle est l'Autre. »

Simone de Beauvoir,
Le Deuxième Sexe, tome I, 1949

« Souffle, serre les dents ;
comme d'hab tu te tais ;
souffle, sois prudente ;
marche dans l'couloir d'à côté ;
bats-toi fillette ! »

Suzane, *SLT*, 2019

Les privilèges sont des droits dont bénéficie une catégorie de personnes. En théorie, et dans la loi de la plupart des pays occidentaux, la masculinité ne confère plus d'avantages particuliers (même si cela a très longtemps été le cas). Pourtant, la masculinité s'accompagne de nombreux privilèges, que l'on peut qualifier de systémiques, c'est-à-dire qui dépendent d'un système social et culturel particulier dans lequel nous vivons : le virarcat (ou patriarcat). Ce que je vais analyser dans cette partie, c'est donc la masculinité comme privilège systémique : les avantages invisibles, indus et largement inconscients que donne le fait d'être né homme. Ce n'est pas seulement que la masculinité s'accompagne de privilèges ; elle *est* le privilège dans un système social et culturel où le masculin est à la fois dominant, considéré comme standard (c'est le masculin-neutre), et placé au centre (androcentrisme).

Ce privilège est aussi invisible, car cette situation est perçue comme normale – alors que, comme la masculinité elle-même, elle est le produit d'une histoire, de droits, de cultures : elle n'est pas naturelle, elle est construite, et organisée. Notre monde est construit au masculin-neutre : on pense que nos organisations sociales, nos institutions, n'ont pas de genre, mais partout où l'on creuse, on constate qu'il en a un. On pourrait trouver à cela mille exemples, mais je me concentrerai ici sur trois d'entre eux : les objets qui nous entourent, la ville et le monde du travail.

L'homme, cet être humain standard

Grandir dans un monde d'hommes, c'est évoluer dans un monde où presque tout ce qui nous entoure a été conçu pour les hommes. Des automobiles aux médicaments, de l'architecture de nos bâtiments publics à la taille des écrans de nos téléphones et aux horaires des transports : le monde dans lequel nous vivons a été bâti en suivant des critères prétendument neutres et universels, qui sont en réalité masculins. Designers, politiques, constructeurs et inventeurs pensent au "masculin-neutre", c'est-à-dire comme si l'individu standard était un homme – et la femme, une simple variation par rapport au standard. Comme si les hommes représentaient la totalité de l'humanité !

Je n'ai pas consacré d'épisode particulier à cette question, mais ce sont des données qui reviennent sans cesse. Ce sujet fait notamment l'objet d'une enquête vertigineuse de la journaliste britannique Caroline

Criado Perez, qui a accumulé et analysé des milliers de statistiques et d'études démontrant cet androcentrisme[29] : soit que seuls les standards physiologiques des hommes aient été pris en compte, soit que les besoins spécifiques des femmes aient été ignorés.

Premier exemple : la température moyenne dans les bureaux climatisés. La formule qui détermine cette température standard dans les lieux de travail a été développée dans les années 1960 à partir du métabolisme au repos d'un homme standard. Mais de récentes études menées aux Pays-Bas montrent que les jeunes femmes qui effectuent le même travail de bureau ont un métabolisme beaucoup plus bas que celui des hommes ; ce qui veut dire que, en moyenne, les bureaux sont trop froids de cinq degrés pour les femmes. Voilà l'explication de cette curieuse vision, une fois l'été venu : vos collègues femmes qui grelottent sous la clim enveloppées dans des plaids et des gilets, tandis que les hommes sont à l'aise en costume[30].

Autre illustration : les mains des hommes sont en moyenne 1,2 fois plus grandes que celles des femmes, or la taille des écrans de téléphone portable n'a cessé d'augmenter ces dernières années. Le dernier modèle d'iPhone tient encore dans une main d'homme ; il y a moins de chance qu'il tienne dans une main de femme. Ça marche aussi pour les outils de construction (tournevis, briques...) et les claviers de piano. À propos de téléphones portables : en 2011, quand Apple a lancé Siri, son "assistant intelligent", il pouvait vous trouver des prostituées et du Viagra, mais pas les centres d'avortement. Siri pouvait vous aider si vous aviez une crise cardiaque ; mais si vous lui disiez *Siri, j'ai été violée*, il répondait *Je ne comprends pas ce que vous voulez dire par J'ai été violée* (et il ne comprenait pas non plus si vous disiez *Mon mari me bat* ni *Je suis victime de violences conjugales*[31]).

Construire un monde d'hommes, c'est aussi faire comme si les hommes et les femmes avaient des besoins similaires. **Vous avez déjà constaté, à l'entracte d'un spectacle, que la file d'attente pour se soulager allait**

29. Caroline Criado Perez, *Invisible Women : Exposing Data Bias in a World Built for Men*, Chatto & Windus, 2018 (non encore traduit en français). Tous les chiffres cités dans les pages qui suivent proviennent de cette enquête.
30. Pam Belluck, « Chilly at Work ? Office Formulas Was Devised for Men », *The New York Times*, 3 août 2015.
31. Collectif, « Smartphone-Based Conversational Agents and Responses to Questions About Mental Health, Interpersonal Violence, and Physical Health », *JAMA Intern Med*, 2016.

durer beaucoup, beaucoup plus longtemps pour les femmes que pour les hommes. Encore un effet de la pensée "masculin-neutre" : les architectes se sont dit qu'être équitable, c'était accorder la même surface aux hommes et aux femmes. C'est louable. Mais cela ne tient pas compte du fait que les femmes prennent deux fois plus de temps aux toilettes que les hommes : parce qu'elles peuvent être enceintes, parce qu'elles peuvent avoir leurs règles, parce qu'elles sont plus susceptibles d'être accompagnées d'enfants, et aussi parce que la majorité des personnes âgées sont des femmes... Ça semble évident, et pourtant ce n'est presque jamais pris en compte dans la construction des bâtiments, ni dans l'organisation des événements comme des festivals en plein air. En revanche, l'agencement rappelle bien souvent à qui revient la charge de s'occuper des nourrissons : lorsqu'il y a des tables à langer, où se trouvent-elles ? Dans les toilettes des femmes, bien sûr. Une solution pourrait être, tout simplement, de rendre toutes les toilettes neutres (ce qui faciliterait aussi la vie des personnes trans), en plus de les rendre accessibles aux personnes en situation de handicap, et de les doter de tables à langer. Et tant qu'on y est, de mettre à disposition des tampons et serviettes hygiéniques – à mon avis, ça devrait être aussi normal que d'avoir accès à du papier toilette, de l'eau, du savon et de quoi s'essuyer les mains.

Un exemple plus grave concerne les voitures. On a vu dans la première partie que les hommes sont beaucoup plus susceptibles que les femmes d'avoir des accidents. Mais quand les femmes en ont, il y a beaucoup plus de risques (47 %) qu'elles soient sérieusement blessées ; et elles ont 17 % de risque en plus de mourir d'un même type d'accident. À quoi cela est-il dû ? À la façon dont sont designées et testées les automobiles. Les femmes, qui ont en moyenne des jambes plus courtes que les hommes, avancent beaucoup plus leur siège pour pouvoir atteindre les pédales. Mais ça, ce n'est pas considéré comme une "position de conduite standard". Donc elle n'est jamais testée. Par ailleurs, les mannequins utilisés pour les crash-tests mesurent en moyenne 1,77 m et pèsent 76 kg (je rappelle qu'une femme en moyenne en France pèse 62 kg et mesure 1,62 m), avec une structure osseuse et musculaire typiquement masculines. Le "standard", c'est l'homme ! Comme si le genre n'existait pas. Nous sommes aussi nombreuses à ne pas pouvoir correctement porter les ceintures de sécurité, qui nous cisaillent les seins (par exemple, en mettant la ceinture sous l'aisselle, au lieu de la faire passer sur l'épaule), ce qui augmente encore le risque de blessures en cas d'accident… Il existe bien un test européen qui utilise des mannequins de crash-test représentant le corps d'une femme (c'est-à-dire que seules 5 % des femmes sont plus petites que ce mannequin), mais ce mannequin n'est testé que dans la position… du passager avant. Impossible donc de savoir comment une femme conductrice serait affectée par l'accident – ce serait pourtant utile de le mesurer, puisque les femmes n'ont pas "la position de conduite standard"…

Tout aussi inquiétant : la recherche médicale et l'enseignement de la médecine obéissent également à ces biais androcentriques. Ainsi, les symptômes d'une femme victime d'un infarctus du myocarde (mal au dos, nausées…) ne sont pas les mêmes que ceux d'un homme (typiquement : la paralysie du bras gauche, douleurs thoraciques), ce qui peut conduire à des retards de prise en charge et de diagnostic[32]. Les laboratoires concentrent aussi leurs budgets sur des troubles spécifiquement masculins : il existe cinq fois plus d'essais cliniques pour traiter les problèmes d'érection masculine que pour traiter les problèmes de douleurs sexuelles féminines comme le vaginisme, la vulvodynie, la dyspareunie. Si toutes sortes de remèdes ont été trouvés pour répondre aux problèmes d'érection, on ne sait toujours pas traiter l'endométriose. Cette maladie, dont souffrirait une femme sur sept en âge de procréer[33], est diagnostiquée avec un retard de sept à neuf ans ; pendant ce temps-là, les femmes souffrent de douleurs intenses et invalidantes durant leurs règles. Imaginez si les hommes souffraient d'endométriose : on peut penser qu'une solution aurait été trouvée depuis longtemps.

Évidemment, je ne dis pas qu'il s'agit d'un complot des hommes pour exclure et faire souffrir le plus possible les femmes. Ces biais androcentriques s'expliquent en grande partie parce que les personnes chargées d'imaginer, de designer, de décider de la forme de notre

32. Ce biais androcentrique de la médecine porte un nom, le syndrome de Yentl, et se retrouve également dans la prise en charge des pneumonies, de l'insuffisance et des arythmies cardiaques, de l'implantation de défibrillateurs, du traitement du VIH par l'AZT, des investigations en cas d'AVC, des arthroplasties et des greffes rénales. Cf. Rémy Martin-Du-Pan, « Syndrome de Yentl ou la médecine sexiste », *Rev Med Suisse*, 2009.
33. Lise Loumé, « Une femme sur sept est concernée par l'endométriose », *Sciences et Avenir*, 6 mars 2017.

monde – dans les laboratoires, les entreprises, les universités, etc. – sont encore en majorité des hommes, qui n'intègrent pas ou peu de femmes dans leurs équipes, et/ou ne pensent pas à inclure le point de vue féminin dans leurs décisions, leurs recherches, les questions qu'ils se posent, les besoins auxquels ils essaient de répondre. Ça serait évidemment différent si les femmes étaient présentes à chaque échelon de décision.

On voit donc que la mixité et la diversité, à tous les niveaux, partout dans la société, sont absolument indispensables si on veut construire un monde vivable pour toustes. Les designers pensent peut-être qu'ils fabriquent des objets pour tout le monde, quand en réalité ils les fabriquent surtout pour des hommes. Et ce n'est pas en changeant la couleur des objets en rose (avec un léger supplément de prix) qu'on réglera le problème.

Tous ces biais, qu'on pourrait énumérer encore longtemps, modifient la perception que nous avons de nous-mêmes, et de la place que nous occupons dans la société. Autrement dit, les hommes ont le privilège de grandir dans un monde qui a été pensé pour eux. À l'inverse, évoluer dans ce monde pensé au masculin-neutre, quand on est une femme, c'est se sentir en décalage permanent, comme si nous n'étions jamais complètement à notre place – c'est-à-dire en minorité. Au passage, on retrouve ces mécanismes quelle que soit la minorité considérée, par exemple dans les fonds de teint et pansements "couleur chair"[34] (mais la chair de qui ? des peaux claires, bien sûr).

Ce même phénomène de fausse neutralité s'observe également dans la façon dont nos villes sont gérées, pensées et construites. Car nos rues, elles aussi, ont un genre.

34. Rokhaya Diallo, « Le #sparadrapgate montre comment les spécificités physiques des Noir·e.s sont ignorées en France », *Buzzfeed*, 9 mai 2018. Dans le même esprit, on notera que les formations en CAP coiffure (un diplôme d'État !) ne forment pas au soin des cheveux crépus…

Des villes très viriles : des skateparks au harcèlement de rue

Dans les rues, sur les places, dans les bars, dans les transports : les choix d'urbanisme et d'architecture contribuent eux aussi à la production des masculinités contemporaines.

Le géographe Yves Raibaud, dans l'épisode 25, montre bien comment le genre change la façon dont nous investissons la ville – et comment celle-ci, au fond, reste très masculine.

Il n'y a qu'à lire les plaques des rues dans lesquelles nous passons, nous travaillons, nous habitons. Les municipalités décident de donner aux lieux le nom des personnes importantes de notre histoire qu'elles veulent honorer. Une association[35] a étudié les noms de 63 500 rues de 111 communes françaises de toutes les tailles. Résultat : parmi les

35. Rapport du Soroptimist international Union française, 2014.

30 % de rues baptisées de noms de personnalités, 94 % portent des noms d'hommes. Au total, seules 2 % des rues en France portent des noms de femmes. Dans le métro parisien, sur 302 stations, seules trois affichent le nom d'une femme : Marguerite de Rochechouart ("Barbès-Rochechouart"), Louise Michel et Marie Curie, qui a enfin rejoint Pierre sur la ligne 7 en 2007. Le nom des rues n'est pas anecdotique : c'est comme si elles rappelaient constamment aux filles et aux femmes qu'elles n'ont pas d'histoire, pas de modèles auxquels s'identifier ; comme si dans notre histoire commune, aucune femme n'avait eu d'importance. Ce qui a de l'importance, ce qui est glorifié en revanche, ce sont les grandes batailles, les guerres et les massacres menés par des hommes. À Paris, ce sont le Champ-de-Mars, les Champs-Élysées, la place Vendôme, etc. – toutes à la gloire du soldat, du sacrifice, des combats (masculins).

« Le nom des rues rappelle constamment aux femmes qu'elles n'ont pas de modèles auxquels s'identifier. »

Et les statues ! Les "grands hommes" y figurent généralement en majesté, vêtus, en cavalier. Les figures féminines, elles, sont anonymes et souvent dénudées (allez donc voir la fontaine des Jacobin, à Lyon, et ces femmes nues aux pieds de quatre hommes barbus représentant des artistes lyonnais). De façon générale, les images qui saturent notre champ de vision – les publicités, les affiches de films, les unes de magazines, représentent volontiers des femmes, mais toujours avec le même type physique : minces, très jeunes, dénudées, souvent dans des postures passives, sexualisées... Enfin, quand leurs corps sont représentés en entier : on se souvient d'une marque de jean qui vantait son pantalon avec un gros plan sur des fesses de femme, et le slogan *Liberté, égalité, beau fessier.* On ne compte plus non plus les affiches de films montrant des corps de femmes en laissant les têtes hors-champ, comme si elles n'avaient pas d'importance[36]. C'est-à-dire que ces images sont construites pour un regard masculin : le "*male gaze*"[37].

DES RUES AU MASCULIN

Grandir comme un garçon ou être un homme en ville, c'est aussi avoir le privilège de bénéficier de lieux "réservés aux hommes". Ce qui ne veut pas dire qu'ils soient interdits aux femmes ! Mais qu'à l'usage ils deviennent masculins.

Yves Raibaud a longuement étudié la façon dont les villes décidaient de financer les loisirs des jeunes[38] : elles construisent des skateparks, des citystades, des terrains de foot ou de basket, en accès libre, donc en théorie accessibles à toustes les adolescent·es, sans distinction de genre. Sauf qu'en pratique ces espaces sont occupés par une écrasante majorité de garçons : il a calculé que les équipements de loisirs mis à la disposition des jeunes de 8 à 20 ans par les collectivités servent deux fois plus aux garçons qu'aux filles. Mais alors, que font les filles ? Pourquoi ne décident-elles pas, elles aussi, d'investir ces lieux ? Autrement dit : est-ce que ce sont les filles qui fuient ces équipements, ou les garçons qui les accaparent ?

Après avoir écouté l'épisode, Axel, un auditeur bordelais, m'a envoyé trois photographies des quais de la Garonne, où trois skateparks ont été installés par la municipalité, destinés à différentes tranches d'âge ; sur le premier skatepark, destiné aux moins de 10 ans, on voit quasiment autant de garçons que de filles pratiquer skate, trottinette, roller... Sur le deuxième, destiné aux 10-15 ans, on distingue une fille, égarée au milieu de garçons. Sur le troisième skatepark, pour les plus de 15 ans, « il n'y a plus de filles, uniquement des garçons, parfois torse nu, alors que les filles ont été reléguées au rang de spectatrices », décrit-il.

36. Le tumblr Headless Women of Hollywood répertorie ces affiches.
37. Ce terme désigne la propension des œuvres visuelles (films, pubs, jeux vidéo) à présenter un décor (ou le corps d'un personnage) du point de vue d'un homme hétérosexuel, même lorsque la caméra est omnisciente et externe à l'intrigue. Un concept théorisé en 1975 par la critique de cinéma Laura Mulvey dans *Visual Pleasure and Narrative Cinema*. Anne-Cécile Husson en a fait une excellente synthèse dans son article « Le Male Gaze, regard masculin », publié sur le site *Ça fait genre* en 2013.
38. Yves Raibaud, *La Ville faite par et pour les hommes. Dans l'espace urbain, une mixité en trompe-l'œil*, Belin, 2017.

On retrouve ici l'effet "cour de récréation", tel que le décrivait Kevin Diter dans l'épisode *L'amour, c'est pas pour les garçons* : dès la plus petite enfance, les garçons sont encouragés à prendre tout l'espace, et les filles reléguées dans les coins, à la périphérie. Les garçons sont socialisés pour investir l'espace, prendre de la place, déployer leur corps. Et la différence ne fait que s'accroître avec l'âge. À partir de l'entrée au collège, on constate que les filles décrochent de leurs activités de loisirs, en particulier sportifs. Les familles leur demandent aussi plus volontiers qu'à leurs frères d'aider au travail domestique. Les filles fuient les espaces où elles sont en minorité, et se replient sur des loisirs majoritairement féminins… quand elles en ont les moyens : les sports et les activités qui leur plaisent ne sont pas valorisés, taxés et subventionnés de la même façon que les loisirs masculins. L'équitation, sport majoritairement féminin où 700 000 licenciées sur 800 000 sont des femmes[39], est un bon exemple : en 2013, le gouvernement décidait de faire passer la TVA sur les leçons d'équitation de 7 à 20 %[40] (trois ans plus tard, les sociétés organisant l'Euro de foot en France ont été totalement exonérées d'impôt). Il en va de même pour toutes les activités de loisirs féminins, explique Yves Raibaud : « Le hip-hop, le rap, le skate, le graphe, sont vus comme l'expression populaire des jeunes, c'est la créativité. Les majorettes, le poney, la natation synchronisée ? Ringard, ridicule, dégradant. » Au total, en comptant les colonies de vacances, les sorties, les infrastructures financées par les municipalités, il trouve ce chiffre : 75 % des budgets publics destinés aux loisirs des jeunes profitent aux garçons. De nombreuses techniques existent pourtant pour que les garçons cessent d'accaparer les espaces et les filles de les fuir : à l'école, par exemple, on peut décider qu'on ne pourra jouer au football que certains jours, pour que les autres jours, garçons et filles jouent ensemble ; à Malmö ou à Genève, les municipalités ont mis en place des journées réservées aux filles dans les skateparks, afin qu'elles puissent reconquérir ces lieux.

Voilà donc les espaces publics de nos villes investis par les garçons… Mais ça ne s'arrête pas là. En retour, ces lieux participent aussi à la construction des masculinités.

Cela peut passer par le show : sur leurs skates, leur BMX, ou se

39. Jean-François Fournel, « La pratique du cheval, un sport de filles », *La Croix*, 20 décembre 2012.
40. Céline Pauilhac, Laurent Pastural, « Hausse de la TVA : les centres équestres tentent de limiter la casse », *France 3*, 2 janvier 2015.

disputant la balle, les garçons rivalisent d'audace, se donnent en spectacle aux passant·es... et aux filles qui les accompagnent. Cela passe aussi par l'exclusion des filles. Yves Raibaud cite ainsi l'exemple d'un lieu associatif en Gironde nommé *Le Bunker* dans les années 1990, qui servait de lieu de répétition pour des groupes de rock. « Il y avait 96 garçons et deux filles ; quand on leur a demandé *Qu'est-ce qui est bien dans le blockhaus ?*, les garçons presque unanimement avaient répondu *Il n'y a pas de filles*. Et quand on leur a demandé *Et qu'est-ce qui manque dans le blockhaus ?*, *Ça manque de meufs*.» Ces lieux fonctionnent comme « des maisons des hommes », c'est-à-dire « des espaces monosexués dont l'enjeu est la production et la consolidation de l'identité masculine ». Ils se construisent à la fois sur l'éviction des femmes, et leur mythification comme objets sexuels.

Que reste-t-il alors aux filles ? Eh bien... en France, comme dans bien d'autres pays du monde, quand elles veulent s'adonner à leurs loisirs favoris, il faut qu'elles le payent de leur poche (clubs de gym, par exemple). À moins qu'elles ne décident d'aller courir dehors ? Sauf que l'espace public non plus n'est pas tout à fait à elles...[41]

HARCÈLEMENT DE RUE : LA PERFORMANCE DE MASCULINITÉ

C'est maintenant, je crois, un fait connu, grâce aux campagnes de sensibilisation menées par les féministes : circuler dans l'espace public quand on est une femme, c'est faire fréquemment l'expérience du harcèlement de rue. Révoltée par ce harcèlement, la militante féministe Anaïs Bourdet a collecté pendant sept ans des dizaines de milliers de témoignages, sur le blog *Paye Ta Schneck*[42], avant d'arrêter, en juin 2019, expliquant qu'elle n'en pouvait plus. « Je n'arrive plus à lire vos témoignages et à les digérer en plus des violences que je vis dès que je mets le pied dehors », écrit-elle dans son message d'adieu. Le blog, lui, reste en ligne. Je vous encourage à aller lire ces témoignages, à voir au bout de combien de temps ça vous devient insupportable. Être présente dans l'espace public quand on est une femme, c'est affronter un continuum de comportements qui nous rappellent à

41. Selon une enquête menée par le magazine *Runners' World* en 2017, 43 % des coureuses sont harcelées lorsqu'elles courent dehors, contre 4 % des coureurs.
42. https://payetashnek.tumblr.com/

notre genre : regards insistants (ces types qui se permettent pendant tout un trajet de métro de fixer, sans aucune gêne, les décolletés), insultes, compliments inopportuns, exhibitionnisme, agressions sexuelles dans les transports en commun (agresseurs qu'on désigne encore par l'euphémisme de "frotteurs"). Nous marchons dans la rue, et nous entendons des remarques, des sifflets, des insultes ; nous nous approchons d'une terrasse occupée par des hommes, d'un endroit où ils se regroupent pour une raison ou une autre, et on sait qu'on va y avoir droit ; c'est comme passer un péage d'hommes. Et, non, ce ne sont pas, comme on le lit régulièrement, des "tentatives maladroites de drague". L'homme qui me croise un matin en me disant : *Toi je te fais une branlette espagnole, direct,* par exemple, pense-t-il sincèrement que je vais m'arrêter, lui dire : *Oh, mais oui bien sûr, quelle bonne idée !* et le laisser mettre son pénis entre mes seins ?

D'autre fois, ce ne sont pas des insultes ni des propositions sexuelles ; c'est plus anodin, moins désagréable – des *Vraiment charmante, Joli sourire, Quelle belle peau, on en mangerait,* glissés en passant, en chuchotant. Quand on ose s'en plaindre, on nous répond : *Mais enfin, ce sont des compliments, tu devrais bien le prendre !* Sauf qu'à ce moment-là, on n'avait pas forcément envie de penser à notre corps, à notre apparence, à notre peau ; entendre ces remarques nous réassigne immédiatement à notre place de femme conçue d'abord comme un objet destiné aux regards des autres.

J'ai commencé à en faire l'expérience vers l'âge de onze ans, avec ma meilleure amie. Passées les premières fois qui nous laissaient stupéfaites, nous nous sommes promis de répliquer systématiquement. En fonction de la violence du propos, on leur disait sèchement qu'on ne leur avait rien demandé, on leur hurlait dessus, on les insultait, on leur mettait la honte en public : *Tu viens de nous dire quoi, là ? Que tu voulais qu'on te suce la bite ?* Ça nous soulageait. Sinon on avait l'impression de subir les insultes, qu'elles nous collaient à la peau toute la journée, comme des serpents qui nous sifflaient à l'oreille – *salopes, petites putes, je vais vous baiser.* Je me souviens d'une fois où nous n'avons rien dit. C'était l'été de nos dix-sept ans, nous roulions à vélo, en jupe, et nous n'avons pas osé répondre à ces hommes hilares qui, en nous croisant, nous ont lancé qu'ils avaient bien envie *de nous mettre une petite fessée* ; c'étaient des policiers en tenue.

Devenue étudiante, il m'arrivait parfois de m'arrêter pour parler à l'homme qui m'avait interpellée, et de lui poser sincèrement la question : *Pourquoi vous faites ça ? À quoi ça sert ?* L'un d'entre eux m'avait expliqué que s'il *tentait sa chance* trois cents fois dans la journée, peut-être qu'une fois *ça marcherait* (comprendre : il obtiendrait une relation sexuelle). La communauté de la séduction dont nous avons parlé tout à l'heure fonctionne sur la même logique : la rue est d'ailleurs l'un de leurs terrains "de chasse" et "d'entraînement". Comme si les femmes étaient à leur disposition, comme si nous leur devions notre temps et notre attention. Mais pourquoi est-ce que ces hommes se sentent le droit d'interrompre des femmes qui ne leur ont rien demandé ? Je suis au téléphone ou j'écoute de la musique, je peux être en train de penser à mon travail, à la mort d'un proche, à une conversation avec une amie, je tente de trouver une solution à un problème, bref je suis absorbée dans ma propre vie, quand un type se permet de couper le fil de mes pensées. Pourquoi ? Parce qu'il se sent le droit de le faire. Parce que peut-être que j'accepterais de coucher avec lui – ou parce que je suis à ses yeux un bon objet d'entraînement pour parfaire sa technique de séducteur.

Je comprends vraiment ces pratiques comme des performances de masculinité, de masculinité *en tant que privilège* : celui de ne pas avoir à se soucier du ressenti, de l'envie et de la vie des femmes. Le harcèlement de rue est la performance de masculinité qui consiste pour les hommes à user de leur droit à commenter le corps des femmes, à les mettre mal à l'aise, à les insulter, et, plus largement, comme droit à disposer de leur temps et de leur attention.

Je précise que je n'ai rien contre les conversations impromptues, les rencontres non prévues, ni qu'on me demande l'heure ou de l'argent ou des indications sur le chemin à suivre – bref, je ne suis pas contre les interactions entre inconnu·es dans l'espace public. Je fais simplement remarquer que celles-ci, quand on est une femme, sont le plus souvent sexualisées. Mais alors, me diront certains, outrés et indignés, on ne peut même plus draguer dans la rue ? Eh bien non, peut-être plus. D'abord parce que si ce mode de rencontre était efficace dans les années 1960, il ne l'est plus tellement aujourd'hui (à peine 5 % des couples se rencontrent ainsi, contre presque 15 % en 1960[43]). Et puis, vous aurez beau être poli, courtois, souriant : vous arriverez après bien d'autres ; et comme eux, vous serez d'abord une interruption dans notre journée.

43. Michel Bozon et Wilfried Rault, « Où rencontre-t-on son premier partenaire sexuel et son premier conjoint ? », *Populations et Sociétés*, INED, 2013.

Maïa Mazaurette l'a parfaitement résumé dans une de ses chroniques :

> « *Même si vous, homme bien élevé, draguez en plein air avec le sourire, votre excellente éducation ne suffit pas à annuler la mauvaise éducation des autres – et ne suffit pas à contrebalancer le fait que vous ajoutiez une interruption à des dizaines, centaines, milliers d'autres. Refuser de reconnaître le vécu féminin, résister aux témoignages qui continuent d'abreuver nos réseaux sociaux, opposer sa colère à des prises de parole, est effectivement indécent.*[44] »

Un point encore. Tous les hommes qui draguent en plein air ne le comprendront peut-être pas, mais du harcèlement de rue au sentiment d'insécurité, il n'y a qu'un pas. Ce n'est pas que les hommes qui nous abordent soient forcément dangereux. Mais c'est comme si tout l'espace public nous réassignait au statut d'objet vulnérable.

Beaucoup de femmes ne se sentent pas en sécurité en ville. Alors on adapte nos déplacements. On évite certains endroits. Pour des raisons de sécurité, 26 % des femmes renoncent à sortir de chez elles, contre 6 % des hommes[45]. Le magazine en ligne *Buzzfeed*[46] avait demandé à des femmes ce qu'elles faisaient pour se sentir en sécurité dans l'espace public : « Mettre nos clés entre nos doigts dans notre poing fermé quand nous rentrons seules chez nous le soir », « Faire semblant de ne pas parler français quand on nous aborde », « Ne pas manger de bananes dans les lieux publics pour éviter les remarques ou les regards déplacés », « Porter une alliance alors qu'on n'est pas mariées », « Se mettre sur le siège côté couloir du bus même si on préférerait être côté fenêtre, pour ne pas se retrouver coincée ». Autant de précautions que les hommes ne penseraient jamais à devoir prendre.

Le privilège masculin en ville, ce ne sont donc pas seulement des choses que les hommes font, mais aussi tout ce qu'ils n'ont pas à faire. Le privilège masculin, c'est aussi avoir la liberté de jouir en toute sérénité de la ville, de ses plaisirs, de sa beauté, de l'animation qu'elle offre. Et je devrais préciser : le privilège masculin blanc, hétérosexuel

44. Maïa Mazaurette, « Faut-il vraiment renoncer à la drague ? », *GQ*, 8 juillet 2019, et « Peut-on encore aborder une femme dans la rue ? », *Le Monde*, 6 novembre 2016.
45. Rapport de septembre 2018 de l'Observatoire national de la délinquance et des réponses pénales.
46. Anaïs Bordages, «73 choses que beaucoup de femmes font pour se sentir en sécurité dans l'espace public (et qu'elles ne devraient pas avoir à faire) », *Buzzfeed*, 25 janvier 2018.

et cisgenre. Car il n'y a pas que les femmes pour qui la rue soit un lieu inconfortable. Être un homme trans, gay ou queer en ville, c'est risquer aussi d'être victime de violences de genre : 13 % des personnes LGBT déclarent ainsi avoir été agressées physiquement dans un lieu public, et 26 % injuriées[47]. Conséquence de ces agressions, 43 % des sondés disent avoir évité d'embrasser un partenaire de même sexe en public, et 34 % de fréquenter certains lieux. Et les jeunes hommes "perçus comme noirs ou arabes" qui se font contrôler vingt fois plus souvent que les autres[48] (et plus rudement). Et les personnes sans-abri qui doivent désormais faire face aux "dispositifs anti-SDF" – ce mobilier urbain (bancs trop étroits, pics...) destiné à les empêcher de s'installer. Dans tous ces cas, on retrouve cette tendance à l'exclusion des minorités – même si les femmes ne sont pas une minorité, au contraire, puisqu'elles constituent 52 % de la population française !

Enfin, le harcèlement ne s'arrête pas dans la rue, il a aussi lieu dans les transports en commun, dont deux tiers des usager·ères sont des femmes[49]. Selon une enquête menée par le Haut Conseil à l'égalité entre les femmes et les hommes en 2015, « 100 % des utilisatrices des transports en commun ont été victimes au moins une fois dans leur vie de harcèlement sexiste ou agressions sexuelles, conscientes ou non que cela relève de ce phénomène. Les jeunes femmes sont particulièrement concernées. Dans plus de 50 % des cas, la première agression intervient avant 18 ans ». De fait, dans les transports en commun, deux tiers des victimes d'injures et insultes sont des femmes, tout comme l'écrasante majorité des victimes de violences sexuelles (quand les victimes de coups et blessures sont principalement des hommes).

Et si l'on reste dans les transports en commun, l'accaparement de l'espace public par des hommes se manifeste aussi par ce qu'on appelle le "*manspreading*" (de l'anglais *to spread*, s'étaler), ou en français "le syndrome des couilles de cristal", à savoir cette fâcheuse habitude de certains usagers d'écarter exagérément les jambes sans se soucier du confort de ses voisin·es (contre laquelle les villes de New York, Séoul, Tokyo et Madrid ont décidé de lutter avec des autocollants et des pancartes).

47. Observatoire LGBT+, 26 juin 2018. Enquête réalisée pour la Fondation Jean-Jaurès et la DILCRAH.
48. Selon une enquête du Défenseur des droits rendue publique en 2017.
49. Chantal Duchène, « Transport et parité des sexes », Forum international des transports/OCDE, 2011.

LA VILLE, ORGANISÉE PAR DES HOMMES, POUR LES HOMMES

Les femmes utilisent plus souvent les transports en commun, à toute heure de la journée ; elles marchent aussi plus souvent dans les rues des villes (plus encore en Île-de-France). Mais là encore, l'organisation des villes ne prend pas en compte cette spécificité. C'est ce qu'a montré le rapport sur « Le temps des villes »[50] : parce que les trois quarts de l'accompagnement des enfants et des personnes âgées sont pris en charge par les femmes, parce qu'elles sont aussi les plus susceptibles de travailler à temps partiel, avec des horaires décalés, les femmes se déplacent tout au long de la journée sur des trajets complexes – par exemple maison de retraite dans un quartier résidentiel/école dans un autre/supermarché dans une zone commerciale –, moins bien et moins fréquemment desservis par les transports en commun. Les horaires de ces derniers sont le plus souvent calqués sur les rythmes dits "des hommes" (déplacement domicile / travail aux horaires de bureau) ; leur aménagement par ailleurs ne permet souvent pas de se déplacer avec des poussettes – comme avec des fauteuils roulants, d'ailleurs.

À l'heure où les villes occidentales ne jurent que par les "circulations douces", on se rend également compte qu'il peut aussi y avoir des conflits entre l'aménagement d'une ville plus écologique et d'une ville plus inclusive. Ainsi le tout-vélo paraît-il une solution idéale sur le papier : écologique, silencieuse, légère, bonne pour la santé. Mais elle n'est plus si évidente si on tient compte des besoins et des contraintes qui pèsent sur les femmes : comment se déplacer à vélo quand on prend en charge le transport des enfants, les courses, quand on travaille trop loin de son domicile ? En tant qu'inconditionnelle du vélo, ça m'ennuie de le reconnaître. D'un côté, j'ai expérimenté personnellement combien le vélo m'a aidée à me réapproprier la ville – rouler par tous les temps et tout le temps à vélo me permet d'échapper au harcèlement de rue et aux agressions sexuelles dans les transports en commun, d'explorer les nouveaux territoires, de sortir où je veux quand je veux sans dépendre de personne, ni des taxis, ni d'ami·es pour me raccompagner. Sentir le vent sur ma peau en traversant la ville, pouvoir la contempler et la connaître, sentir

50. Rapport du ministère de la Ville et du Secrétariat aux droits des femmes, 2001.

mes muscles fonctionner, sont des voluptés quotidiennes. Mais je suis bien consciente que cela n'est possible que parce que je ne suis pas obligée, dans le cadre de mon travail, de porter des tenues qui contraignent mes mouvements (coiffure, maquillage, talons, vêtements serrés) ; parce que j'ai eu les moyens financiers de me procurer un vélo solide, que je sais faire les réparations nécessaires, que je suis valide et en bonne santé, que je n'ai pas d'enfants, et parce que je n'ai que dix kilomètres à parcourir quotidiennement en moyenne, dans une ville qui met en place des infrastructures sécurisées pour les cyclistes. Cela fait beaucoup de conditions à réunir pour que le vélo soit un moyen de transport accessible pour les hommes comme pour les femmes.

La ville est donc construite selon des standards masculins, sans que la vie des femmes – et de tous les publics vulnérables, en situation de handicap, les jeunes enfants, les personnes âgées (dont s'occupent en majorité les femmes) – soit prise en compte. C'est même plus que ça : la ville est marquée par la masculinité, et elle contribue en même temps à (re)produire la masculinité. Comme toutes les inégalités structurelles, il ne s'agit pas d'un complot : bien sûr que les hommes ne se réunissent pas dans les conseils municipaux pour décider des meilleures techniques à mettre en œuvre pour exclure les femmes. Et l'espace public peut aussi être un lieu de subversion et de contestation[51]. Mais les villes sont encore majoritairement gérées par des individus de sexe masculin. Selon Yves Raibaud, « La présence des femmes aux postes clés est faible, qu'il s'agisse des élus ou des personnes qui pensent et construisent la ville de demain : architectes, urbanistes, directeurs des services d'équipement et concepteurs des programmes urbains sont presque exclusivement des hommes. La participation citoyenne (conseils de quartier, enquêtes publiques ou opérations de concertation) est généralement dominée par les hommes. » En 2017, 84 % des maires sont des hommes.

51. De nombreux collectifs notamment féministes visent ainsi à se réapproprier la ville – renommer les rues en mettant en valeur des femmes importantes, par exemple, ou placarder des clitoris sur les murs de la ville (comme la campagne *It's not a bretzel* en 2019), ou faire des tags féministes (voir ceux de @marguerite_stern sur Instagram).

Vers une ville véritablement inclusive

Yves Raibaud préconise l'utilisation d'un outil, encore relativement peu répandu en France : les budgets genrés.
« En 2005, Vienne a été la première ville à instaurer un budget municipal entièrement genré : elle contraint tous ses services à démontrer qu'ils atteignent les hommes et les femmes de la même manière, en dépensant des sommes équivalentes », explique-t-il : « La ville compte un bureau dédié au *Gender Mainstreaming* qui a développé des principes pour guider l'action publique en matière d'aménagement urbain :

- Un langage "sensible au genre", pour donner la même visibilité aux hommes et aux femmes, sur tous les documents écrits et les images, jusque dans les panneaux
- La collecte et l'analyse de données genrées à tous les niveaux, données que toute décision doit prendre en compte
- Un égal accès à l'utilisation de services
- Une importance égale des femmes et des hommes dans la prise de décision, avec une exigence de parité.[52] »

Regarder la ville avec d'autres lunettes, celles du genre, de la race, de la classe et du handicap, pour construire des villes du futur beaucoup plus inclusives ouvre des perspectives stimulantes pour les géographes, les urbanistes, les élus. Les approches par le genre commencent d'ailleurs à être intégrées aux formations en urbanisme et en architecture[53]. Imaginer des villes plus simples à vivre au quotidien pour toustes implique par exemple de penser à construire des crèches près des bureaux, à prendre en compte les réels besoins des familles et des enfants. C'est aussi prévoir des usages flexibles pour tel ou tel équipement – un terrain de sport qui peut aussi servir d'espace pour faire de la gym.

En attendant, l'espace public est toujours largement pensé comme masculin-neutre, en opposition à l'espace domestique qui est lui pensé comme féminin. Grandir comme un homme en ville, pour résumer, c'est donc bénéficier d'un ensemble de privilèges, dont vous êtes, sauf si vous êtes sensibilisé·es à ces questions, inconscient·es.

52. Yves Raibaud, *La Ville faite par et pour les hommes*, Belin, 2015.
53. Jessica Gourdon, « La place des femmes dans la ville, nouveau sujet des écoles d'architecture », *Le Monde Campus*, 16 octobre 2018.

C'est-à-dire que le monde extérieur ne vous est pas hostile, il ne vous gêne pas, il ne vous rappelle pas de mille manières que vous n'êtes pas à votre place ; il est fait pour vous, il est adapté à vos besoins, à vos usages.

Nous allons voir que c'est aussi le cas de l'entreprise et du monde du travail rémunéré.

Les privilèges de l'homme au travail

Entreprises, universités, hôpitaux, administrations : le monde du travail contribue lui aussi à la production de la masculinité comme privilège – par la façon dont il est organisé, dont les carrières sont évaluées, dans les attentes qui pèsent sur les travailleurs et travailleuses.

C'est ce que nous avons commencé à explorer dans l'épisode 29 avec la sociologue Haude Rivoal, qui a passé trois années à travailler dans l'une des plus grandes entreprises françaises de transport logistique, qu'elle appelle Transfrilog[54]. Elle a analysé les mécanismes par lesquels la domination masculine se perpétue non seulement dans, mais aussi grâce à l'entreprise, et comment l'entreprise est le lieu où les hommes

54. « Les Hommes en bleu. Une ethnographie des masculinités dans une grande entreprise de distribution », doctorat de sociologie soutenu en 2018 à Paris 8.

apprennent les uns des autres comment exercer le pouvoir. Elle montre que ces organisations que l'on pense neutres ont aussi un genre, en l'occurrence masculin. Au lieu de se demander ce qui freine l'entrée des femmes dans certains espaces de travail, elle s'est intéressée aux facteurs qui favorisent le maintien de la domination masculine, c'est-à-dire : comment ça tient ?

Chacun pourrait examiner la production des masculinités dans sa propre entreprise. Comme souvent quand il est question de genre, il s'agirait d'abord de se poser des questions sur la normalité : quels sont les comportements, les attitudes, les expressions, considérés comme normaux ou souhaitables ? Qui prend la parole en réunion, combien de temps, pour dire quoi ? Qui occupe l'espace, et comment ? Qui progresse dans la hiérarchie, et pourquoi ? Des observations concrètes, quotidiennes, qui finissent par montrer que, même dans les cas où l'entreprise ne discrimine pas activement les femmes, même quand elle affiche une volonté "d'égalité des chances", ce sont ses modes d'organisation, ses normes, ses attentes impensées qui ont pour effet de favoriser encore et toujours les hommes.

COMPORTEMENTS, CULTURE, VALEURS : LE TRAVAIL RÉMUNÉRÉ RESTE MASCULIN

Ce que Haude Rivoal a observé chez Transfrilog peut s'appliquer à beaucoup d'autres grandes entreprises. En apparence, l'avancement des carrières ne dépend pas d'un genre, ne dépend pas d'un sexe : en fonction de son mérite personnel, chacun·e peut se voir proposer des promotions et des augmentations de salaires. Mais il faut examiner en fonction de quels critères se mesure le "mérite personnel". Chez Transfrilog comme dans beaucoup d'entreprises, l'attente implicite auprès des cadres est qu'ils montrent une disponibilité temporelle presque totale, soient capables de rester tard au bureau, d'assister à toutes les réunions, mais aussi qu'ils soient toujours disponibles pour des déplacements, voire des mutations. Dans la mesure où la majorité des adultes travailleurs de ce pays sont en couple hétérosexuel avec des femmes, cette disponibilité totale n'est possible que si leur partenaire prend en charge le travail domestique (soin de la maison et des enfants).

C'est le syndrôme "J'ai une épouse formidable", comme le nomment Alban Jacquemart et Laure Bereni, qui ont observé le même phénomène dans la haute fonction publique[55]. Ce qu'ils montrent, c'est que la prééminence des hommes dans la haute fonction publique (qui est longtemps restée un bastion exclusivement masculin), ne s'érode que lentement. C'est qu'il faut faire preuve « d'un investissement professionnel total, sans faille et continu », et passer « de longues heures au bureau sans être perturbé par des contraintes autres que professionnelles (comme un enfant malade ou un mode de garde défaillant) »... et, *in fine*, se conformer au déroulement linéaire "normal" de la carrière, sans « faire valoir de considérations personnelles ou familiales » – quoi qu'en disent les récents discours gestionnaires sur la « conciliation des temps de vie ».

Le monde du travail est donc construit comme si les gens n'avaient pas d'enfants – ou plutôt : il continue de fonctionner sur le principe que les femmes vont s'occuper des enfants. Dans de nombreux milieux, si des hommes mènent de belles carrières et s'investissent sans compter dans leur travail, c'est parce qu'ils bénéficient du travail gratuit des femmes. Bien sûr, certaines femmes s'investissent aussi pleinement dans leur carrière. Mais si elles peuvent le faire, c'est en général moins grâce au soutien de leur partenaire dans le travail domestique, que parce que ce travail a été délégué à d'autres femmes, souvent des femmes racisées, précaires et peu payées, ce sur quoi je reviendrai bientôt.

Chez Transfrilog comme ailleurs, Haude Rivoal relève aussi que le "manager idéal" a des qualités bien souvent naturalisées comme masculines : autorité, charisme, expertise, sens des responsabilités. Évidemment que les femmes sont tout aussi capables que les hommes de les incarner. Mais les marges de manœuvre sont pour elles plus étroites, et les mêmes comportements seront valorisés pour l'un, condamnés chez l'autre. Une expression d'autorité chez un homme, qui paraîtra normale et souhaitable (*c'est un vrai chef !*) sera critiquée chez une femme (*c'est une connasse agressive !*) ; l'homme sera qualifié d'"ambitieux", la femme d'"arriviste" ; lui de "sérieux", elle d'"ennuyeuse"...

55. Laure Bereni et Alban Jacquemart, « Diriger comme un homme moderne – Les élites masculines de l'administration française face à la norme d'égalité des sexes », *Actes de la recherche en sciences sociales*, 2018.

Autre exemple très concret : on accepte que les hommes coupent la parole, mais pas qu'une femme le fasse. En épluchant quinze années de comptes rendus de débats à la Cour suprême des États-Unis[56], deux chercheurs ont démontré que les hommes coupaient beaucoup plus la parole que les femmes, et qu'ils avaient tendance à interrompre les femmes plutôt que les hommes : c'est ce qu'on appelle le *manterruping*. Une femme qui coupe la parole comme un homme est perçue comme arrogante et impolie. C'est un numéro d'équilibriste constant que connaissent de nombreuses femmes en entreprise : avoir l'air compétente mais pas arrogante ; accessible mais pas familière ; apprêtée mais pas trop sexy. On pourrait dire aux femmes qui veulent elles aussi progresser dans leur carrière de se comporter et d'agir plus comme les hommes ; mais ce serait oublier qu'elles seront pénalisées si elles le font. On peut enfin noter que les stéréotypes et les attentes de genre jouent parfois en la faveur des hommes quand ils intègrent des milieux féminisés, comme celui de la petite enfance : ils se verront plus facilement confier des tâches managériales car on les pense "naturellement" plus compétents dans l'encadrement[57].

Si je résume : dans un monde du travail pensé au masculin-neutre, on attend des femmes qu'elles se comportent comme des hommes (sans transgresser trop les normes de genre) ; mais pas des hommes qu'ils se comportent comme des femmes.

Ces attentes sexuées peuvent aussi peser sur les hommes qui n'y correspondent pas, notamment gays et intersexes. Deux sociologues se sont ainsi intéressés à la culture d'entreprise des grands cabinets d'audit (PriceWaterHouse Cooper, Deloitte, KPMG, Ernst and Young) – une élite restreinte, qui exerce une influence mondiale :

> *« Au travail, les auditeurs gays et lesbiens mentaient constamment sur leur vie privée pour cacher leur sexualité. Comme leurs journées étaient longues, ils passaient beaucoup de temps à dissimuler une partie de leur identité et à se sentir mal à l'aise dans les discussions personnelles. Quelque chose d'aussi anodin qu'une conversation sur*

56. Tonja Jacobi et Dylan Schweers, « Justice, Interrupted : The Effect of Gender, Ideology and Seniority at Supreme Court Oral Arguments », *Virginia Law Review*, 2017.
57. Céline Delcroix, « Les professeur·e·s des écoles au regard du genre : des carrières à deux vitesses ? », *Carrefours de l'éducation*, Cairn.info, 2011.

des projets de dîner pour la Saint-Valentin peut être difficile pour des salariés qui n'affichent pas leur orientation. Doivent-ils dire la vérité ? Mentir par omission ? Ou mentir tout court ? Chaque option est risquée. [...] Ils et elles disaient éprouver une gêne constante en société, car ils étaient obligés de décider à chaque fois s'ils devaient révéler leur identité sexuelle ou la cacher, et, dans ce cas, comment le faire.[58] »

Il peut ainsi régner dans des entreprises une culture viriliste qui imprègne jusqu'aux interactions les plus anodines. C'est par exemple un chef satisfait de l'avoir emporté sur l'entreprise concurrente et qui lance : *On les a bien niqués, hein !* ; des collègues qui s'exclament : *Ah, ça, c'est pas un audit de pédé, hein !* Je repense aussi à cet autre chef, qui après une semaine particulièrement intense, s'exclamait devant notre équipe, exclusivement féminine : *Putain, on n'a pas débandé de la semaine, les gars !*

La survalorisation du travail rémunéré comme élément central de l'identité masculine semble aussi engendrer des coûts secondaires pour certains hommes. Nous n'en avons que peu parlé dans les épisodes, mais je veux mentionner rapidement ici quelques pistes pour penser ces "coûts du privilège" : ces exigences d'investissement total dans son travail (au détriment de sa vie personnelle et familiale) n'empêchent-elles pas des vies véritablement épanouissantes et heureuses ? Quand on ne fonde son identité que sur son travail, comment supporter les périodes de chômage, de plus en plus fréquentes ? Autant de sujets qui mériteraient qu'on s'y penche plus précisément.

Mais en attendant, ce sont surtout les femmes qui pâtissent de cette "prime à la masculinité", qu'on retrouve à l'œuvre dans les réseaux masculins.

BOYS' CLUB @WORK

La réussite professionnelle n'est pas qu'une question de compétence, mais de réseaux et de relations. La progression professionnelle des hommes est favorisée par leurs façons de socialiser entre eux, par leurs réseaux. On m'objectera qu'il existe aussi des réseaux féminins – c'est vrai ! Mais ils se sont justement constitués en réaction à ces réseaux masculins informels...

58. Thomas Roulet et Sébastien Stenger, « Pourquoi les discours sur la performance nourrissent l'homophobie au travail », *Harvard Business Review*, 2017.

Examinons donc le rôle de ce qu'on appelle les "boys' clubs", les clubs de mecs. Ce ne sont pas des associations loi 1901, ni des groupes formalisés : plutôt des réseaux d'amitié, de camaraderie. Le boys' club, ce sont toutes ces pratiques souvent fort sympathiques de sociabilité masculine : les pots entre collègues le soir, les parties de tennis à midi, le club de foot de l'entreprise, les petites blagues échangées à la machine à café, les signatures de contrat dans les boîtes de strip-tease, etc. Toutes ces interactions créent des liens forts, une familiarité, qui bénéficient aux hommes qui y participent. Si vous ne voyez pas ces boys' clubs, c'est certainement que vous êtes déjà dedans. Et ce n'est pas que les boys' clubs excluent formellement les femmes – tous les membres du club vous le diront : ils sont tout à fait ouverts aux femmes, c'est "juste" qu'elles sont moins susceptibles d'y participer ; c'est "juste" qu'elles ne jouent pas au foot, "juste" qu'elles n'ont pas le temps d'aller vider des pintes après le travail.

Mon milieu professionnel, celui du journalisme, a été cette année marqué par plusieurs scandales mettant en cause de tels groupes, comme celui nommé "la Ligue du Lol"[59], ou ceux ayant existé dans des rédactions comme celles de *Vice Magazine* et du *Huffington Post*. En 2018, au sein de la rédaction de ce dernier journal, un groupe d'hommes avait créé une chaîne privée, intitulée Radio Bière Foot, sur le chat interne de l'entreprise ; au départ, c'était pour parler de foot, mais ils se sont rapidement mis à y dénigrer, insulter et ridiculiser leurs collègues qui étaient assises à côté d'eux. Sur les vingt hommes que comptait la rédaction, seuls les deux directeurs de la rédaction et les deux hommes ouvertement homosexuels n'ont jamais été ajoutés. Leur petit groupe privé était devenu un défouloir sexiste, raciste et homophobe, comme le raconte le journal *Libération* :

> *« Une journaliste est par exemple systématiquement désignée par un émoji Kim Jong-un maquillé. Selon plusieurs journalistes femmes, à cause de ses origines asiatiques. Leurs collègues masculins se sont défendus en affirmant que cet émoji était utilisé pour illustrer le caractère "autoritaire" des femmes de la rédaction. L'émoji (et donc la journaliste qu'il est censé décrire) a un surnom : "Pupute", employé par ses collègues, comme par son chef. Le terme de "pute" revient par ailleurs de façon très*

59. Voir épisode 35, *La Ligue du Lol : la force du boys' club.*

> *régulière dans les captures d'écran. Si le caractère raciste de cet émoji est nié par les intéressés, d'autres captures ne laissent aucun doute sur les caractères racistes (notamment envers les femmes asiatiques), homophobes ou sexistes de certains propos. Serena Williams est ainsi qualifiée de "vigile trav" dont l'odeur doit "fouetter". Les femmes sont parfois notées sur leur physique, et de façon générale déshumanisées.*[60] »

Trois journalistes du *Huffington Post* ont été licenciés. À *Vice Magazine*, le groupe des "Darons" faisait à peu près la même chose.

Cette tendance aux regroupements masculins et à l'entraide existe aussi dans les lieux de formation, et peut entraîner des dérives, parfois même de manière terriblement violente. Au lycée militaire de Saint-Cyr, comme le révélait *Libération*[61], une poignée d'étudiants ultraconservateurs, les "tradis", harcelaient moralement et en toute impunité leurs camarades, en particulier les filles, dans l'espoir de les voir abandonner le concours d'entrée à l'École militaire, grâce à toute une gamme de comportements des plus anodins aux plus insultants. Certains d'entre eux pratiquaient ainsi "l'indifférence courtoise", qui consiste à ne jamais adresser la parole aux filles, faire comme si elles n'existaient pas. « Dans les couloirs de l'établissement, rapporte encore *Libération*, les étudiantes sont toujours interpellées par des interjections argotiques type "cuissssss" – dès qu'une fille est en couple et donc soupçonnée d'avoir des relations – ou "bzittttt" pour signifier qu'elles ne sont que des moins que rien. »

Ce n'est pas propre aux écoles militaires. Ainsi, l'école d'informatique 42, fondée par Xavier Niel, connaît apparemment le même genre de phénomène[62]. 3 000 étudiant·es, à 90 % des garçons, faisaient ainsi partie d'une chaîne Slack intitulée NSFW, *Not safe for work*, où certains partageaient des contenus pornographiques et misogynes, comme, entre autres finesses, des appels à « enduire les femmes avec du Mont d'or et de la graisse abdominale de féministe » ou une photo montrant une femme à quatre pattes avec en commentaire « née pour être un sac à

60. Vincent Coquaz, Robin Andraca et Emma Donada, « *Huffpost* : 3 journalistes licenciés pour avoir insulté des collègues femmes dans un groupe privé », *Libération*, 11 février 2019.
61. Guillaume Lecaplain et Anaïs Moran, « Lycée Saint-Cyr, un an après : "Finalement, rien de rien n'a changé" », *Libération*, 27 mars 2019.
62. Marion Garreau et Marine Protais, « Porno, blagues et dragues lourdes... pas facile d'être une femme à l'école 42 », *L'Usine Nouvelle*, 16 novembre 2017.

foutre ». L'une des étudiantes se plaint d'une « ambiance de vestiaire de foot [...] On m'a poursuivie sur un étage et demi – que j'ai dû remonter à reculons – pour voir sous ma jupe. On ne se sent pas en sécurité ici. »

Au *Huffington Post*, à Saint-Cyr, à l'école 42 et dans tous les lieux où ces boys' clubs existent, les femmes doivent non seulement gérer la violence dirigée contre elles, mais cela peut aussi favoriser leur exclusion et leur dévalorisation, même inconsciente, comme l'explique l'historien Maurice Dumas, auteur d'un livre sur l'histoire de la misogynie : « Le langage de potes produit un champ d'exclusion empêchant les femmes de progresser. Lorsque vous créez une culture où les femmes sont dégradées avec décontraction, comment pouvez-vous éprouver le désir de les promouvoir ou de travailler pour elles ?[63]»

ÇA VA, C'EST PAS SI GRAVE. AH OUI, VRAIMENT ?

Dans les différents exemples ci-dessus, les hommes qui bénéficient de cette sociabilité avancent souvent l'excuse de l'humour. Se moquer des femmes, des Asiatiques, des grosses, c'est "juste" des blagues – rien de grave, donc. Une approche naïve de l'humour consiste à penser que l'humour ou le rire sont toujours inoffensifs. Mais ce qui nous fait rire peut aussi refléter des rapports de pouvoir, et contribue à les perpétuer. L'humour sexiste, raciste, grossophobe, homophobe, peut être une façon comme une autre de socialiser dans un groupe. Des études ont montré que l'humour désobligeant pouvait avoir des conséquences négatives concrètes, comme le résume un article du magazine *Slate*[64] : « Il a été démontré que lorsqu'un individu a une perception négative d'une population, le soumettre à un humour désobligeant envers cette population le libère des inhibitions qu'il peut avoir et il ressent alors une certaine légitimité dans le fait de la discriminer. »

Une autre excuse est la présence dans le groupe de personnes dominées – femmes, personnes racisées ou gays. Mais c'est être ignorant des rapports de force en jeu : on peut avoir intérêt à se maintenir dans un groupe, parce qu'en être exclu serait trop pénible, et/ou que c'est un moyen d'échapper soi-même au harcèlement. Cela ne

63. Maurice Daumas, *Qu'est-ce que la misogynie ?*, éditions Arkhê, 2017.
64. Rachid Zerrouki, « Peut-on rire de tous ? », *Slate*, 18 janvier 2018.

veut pas dire qu'on contribue à fixer les règles du jeu, comme l'analyse Sarah Labarre : « Lorsque des femmes y sont admises, elles ne le sont qu'en minorité et doivent se plier aux règles dictées par les gars. Faire comme les gars. [...] Ce qui caractérise le boys' club, c'est cette solidarité entre mâles qui ne voient pas l'intérêt de remettre le statu quo en question, ou de modifier leurs règles pour permettre une réelle égalité entre les sexes.[65] »

Refuser le boys' club

Même si les faits les plus graves (harcèlement) ne sont le fait que d'une minorité, en être spectateur sans réagir revient à être complice. Si vous voulez vraiment être à l'extérieur du boys' club, il faut commencer par refuser d'y participer, y compris comme témoin passif.
Vous pouvez aussi activement promouvoir les femmes dans votre milieu de travail. Il existe ainsi des réseaux d'hommes qui s'engagent pour les femmes, comme le réseau Happy Men, qui mise sur les avantages que peuvent apporter aux hommes la lutte pour l'égalité et le partage.
L'ONU Femmes a lancé la campagne *He For She*, avec pour objectif de faire participer les hommes et les garçons au combat pour l'égalité des sexes et les droits des femmes, soutenu par des hommes comme le chanteur Harry Styles, le Premier ministre canadien Justin Trudeau, etc.
De même, le mouvement #JamaisSansElles regroupe des hommes souhaitant promouvoir la mixité : ils ont promis de refuser de participer à des événements, débats, panels d'experts ou tables rondes si des femmes n'y sont pas présentes.
En 2016, le dessinateur de bandes dessinées Riad Sattouf a refusé sa nomination au Grand Prix d'Angoulême pour protester contre l'absence de femmes dans la liste : « Cela m'a fait très plaisir ! Mais, il se trouve que cette liste ne comprend que des hommes. Cela me gêne, car il y a beaucoup de grandes artistes qui mériteraient d'y être. [...] Je demande ainsi à être retiré de cette liste, en espérant toutefois pouvoir la réintégrer le jour où elle sera plus paritaire ! » a-t-il posté sur Facebook.
La classe.

65. Sarah Labarre, « Les féministes, les réseaux sociaux et le masculinisme : guide de survie dans un No Woman's Land », *Le Mouvement masculiniste au Québec : l'antiféminisme démasqué*, Les éditions du Remue-Ménage, 2015.

Participer à ces boys' clubs, notamment en renchérissant dans l'humour oppressif en toute impunité, voire en suscitant l'approbation de ses pairs, participe aussi à la construction d'une masculinité vécue comme légitime : on fait rire les autres, on est forts ensemble, on se sent supérieurs, donc "à la bonne place"... Pendant ce temps-là, celleux qui sont exclu·es voient s'aggraver leurs problèmes de manque d'auto-estime et de confiance, souvent préexistants à la situation d'exclusion.

Enfin, je voudrais mentionner rapidement deux autres symptômes de cette masculinité-privilège : le "mansplaining" et le "bropropriating". Le mansplaining (que les Québecquois ont traduit par "mecspliquer"), c'est cette tendance, due à un excès de confiance en eux-mêmes, qu'ont certains hommes à expliquer quelque chose à une femme en supposant d'emblée qu'ils sont les détenteurs du savoir et qu'elles sont ignorantes. L'expression a été popularisée par l'autrice Rebecca Solnit, dans une anecdote célèbre : à une conférence, apprenant le sujet sur lequel elle travaillait, un homme lui a pendant de longues minutes exposé le contenu d'un livre traitant du même sujet (qu'il n'avait même pas lu), en supposant qu'elle ne le connaissait pas... alors que c'était justement elle qui l'avait écrit[66] !

Quant au bropropriating (de l'anglais "bro" (mec) et "appropriating" (s'approprier), il désigne cette fâcheuse tendance qu'ont certains hommes, au travail, à s'approprier les idées d'une femme et à s'en attribuer les mérites. Dans le monde scientifique, on appelle cela l'effet Matilda : c'est la minimisation, le déni ou l'appropriation de la contribution des femmes, notamment scientifiques, à la recherche.

HARCÈLEMENT SEXUEL : QUAND LES ENVIRONNEMENTS DE TRAVAIL DEVIENNENT HOSTILES

Les lieux de travail et de formation, du fait de cette solidarité masculine déjà constituée, peuvent être inhospitaliers pour des femmes. Ils peuvent aussi devenir carrément hostiles. En France, une femme sur cinq a déjà été harcelée sexuellement dans le cadre de son travail,

66. *Ces hommes qui m'expliquent la vie*, L'Olivier, 2018.

mais seuls 5 % des cas ont été portés devant la justice[67]. Le harcèlement sexuel concerne absolument tous les milieux professionnels, partout. Les féministes le savaient déjà, bien avant le mouvement #MeToo, mais les récits simultanés de millions de femmes, sur Internet, rendent impossible de nier l'ampleur massive du harcèlement sexuel à travers le monde. Ce n'est pas une "libération" de la parole, car les femmes ont toujours parlé ; c'est que, pour la première fois, le monde a été forcé de les écouter et d'accepter cette réalité : de nombreux espaces de travail sont insupportables pour les femmes à cause du harcèlement sexuel, voire des agressions et des viols qu'elles y subissent. Des enquêtes ont mis en cause les milieux hospitaliers, politiques, ceux de la publicité, du cinéma, des écoles d'art, de l'hôtellerie, de l'agriculture, des conservatoires... Aucun milieu n'y échappe.

Je me souviendrai toute ma vie de ces semaines d'octobre 2017, quand est né le mouvement #MeToo, et où j'ai passé des jours et des nuits entières à lire la cascade de témoignages qui se déroulait sur mon écran. Lire et écouter le récit des victimes pour comprendre était fondamental ; mais il était aussi important, me semblait-il, de se demander qui étaient les harceleurs, ce qui les poussait à harceler, et ce qui, dans les environnements de travail, favorisait le harcèlement. Encore une fois, il s'agissait de retourner le regard sur une situation, pour mieux étudier la masculinité comme privilège. Car dans ce type de violences, comme dans d'autres, le schéma est très clair : dans l'écrasante majorité des cas, ce sont des femmes qui sont victimes d'hommes.

C'est le sujet de l'épisode 7 du podcast, *Qui sont les harceleurs au travail ?* dans lequel j'ai invité Marilyn Baldeck, militante féministe et depuis douze ans déléguée générale de l'Association contre les violences faites aux femmes au travail, association qui a largement contribué à faire reconnaître le délit de harcèlement sexuel en France, que la loi définit désormais ainsi :

> *« Le fait d'imposer à une personne, de façon répétée, des propos ou comportements à connotation sexuelle ou sexiste qui soit portent atteinte à sa dignité en raison de leur caractère dégradant ou humiliant, soit créent à son encontre une situation intimidante, hostile ou offensante. »*
> *(Art. 1 de la loi du 6 août 2012 relative au harcèlement sexuel)*

67. « Enquête sur le harcèlement sexuel au travail », IFOP / Défenseur des droits, janvier 2014.

Concrètement, c'est le fait de faire des propositions sexuelles à une collègue qui n'en veut pas, d'envoyer des messages pornographiques, de proposer à une employée une promotion en échange de faveurs sexuelles, de noter vos collègues sur leur physique – bref si l'autre personne n'est pas d'accord, c'est du harcèlement sexuel. Si un collègue vous touche les fesses à la photocopieuse, c'est une agression sexuelle. Afficher des calendriers ou des photographies pornographiques dans son open space, ou faire des blagues salaces à la cantonade sans viser personne, c'est du harcèlement sexuel environnemental.

Marilyn Baldeck a assisté à des dizaines de procès ; elle a étudié des milliers de dossiers de plaintes pour harcèlement sexuel ou agressions sexuelles dans l'entreprise, publique ou privée. Elle connaît le vécu des femmes, mais elle connaît aussi le discours des harceleurs et la manière dont ils justifient leurs actions, ce que l'on nomme "la stratégie de l'agresseur". Elle explique que le harcèlement sexuel est favorisé par certaines organisations du travail. Soit parce que l'emploi est ségrégué sexuellement (les hommes occupent des postes à responsabilités, les femmes des postes subalternes), soit parce que les tâches elles-mêmes sont ségréguées : c'est ce qui s'est passé dans le dossier dit "des nettoyeuses de la gare du Nord", porté et soutenu par l'AVFT. Pendant que les femmes travaillaient au nettoyage des trains, leurs chefs d'équipe frottaient leurs sexes contre elles, leur mettaient des mains aux fesses, les insultaient. L'équipe était mixte. Seuls les hommes utilisaient l'aspirateur, la petite voiturette pour nettoyer les quais, tout ce qui devait se faire avec du matériel motorisé. Les femmes, elles, étaient cantonnées au nettoyage à l'intérieur des trains, et notamment des toilettes, qui obligent à des postures inconfortables, comme se baisser, être à genoux. Comme l'analyse Marilyn Baldeck :

> *« On voit bien que petit à petit, quand on assigne les femmes à nettoyer la merde dans les trains pour le dire de manière triviale, elles finissent aussi par être traitées comme de la merde par leurs collègues masculins ; donc c'est ça qu'il a fallu qu'on explique aux juges : le harcèlement sexuel est aussi favorisé par cette organisation du travail où on place systématiquement les femmes à des tâches subalternes. »*

L'une de ces femmes et un lanceur d'alerte ont été licenciés pour avoir parlé, mais les Prud'hommes ont fini par leur donner raison[68].

Certaines cultures de travail virilistes – comme cela peut arriver par exemple dans les entreprises de BTP, chez les militaires ou les pompiers – favorisent elles aussi le harcèlement sexuel. Dans une entreprise d'avitaillement aéroportuaire, une salariée a été harcelée pendant des années par son supérieur. Il lui demandait, par exemple, si elle avait déjà pratiqué l'échangisme, en lui expliquant qu'elle devrait essayer, pour son épanouissement personnel ; il lui conseillait de tromper son mari, et précisait qu'il était disponible pour cela ; il lui demandait chaque matin si elle avait "satisfait son mari" la nuit précédente et lui imposait de savoir qu'il n'avait pas eu de rapport sexuel avec sa femme depuis longtemps ; il se vantait de se "taper" les serveuses de l'hôtel où il séjournait, lui disait qu'elle devait être "bonne au pieu". Quand elle mangeait une viennoiserie, il lui lançait de manière suggestive qu'il aimait quand elle avait la bouche pleine, disait qu'il allait baisser la température de la climatisation pour voir ses tétons pointer, lui envoyait des mails à caractère pornographique. Après avoir dénoncé ses comportements, elle a été licenciée, au motif qu'elle ne s'était pas « adaptée à la culture de l'entreprise ». Attaquée aux Prud'hommes, l'entreprise mise en cause par la salariée a plaidé que « l'obscénité et la pornographie » étaient des « stratégies collectives de défense fondée sur la virilité qui trouvent toute leur place dans certains milieux professionnels, parce que ces stratégies sont des bons moyens pour "tenir au travail" lorsque celui-ci expose à des situations anxiogènes ». L'employeur considérait que c'étaient aux femmes de s'adapter à la culture de l'entreprise, qui historiquement ne comportait que des hommes : à elles de s'adapter à la norme dominante, pas à cette culture de s'amender et de se remettre en question avec l'arrivée des femmes[69].

Le harcèlement peut aussi survenir dans des environnements de travail a priori sympathiques : les entreprises à taille familiale et

68. Michaël Hajdenberg, « Harcèlement sexuel : victoire des nettoyeuses de la gare du Nord », *Médiapart*, 10 novembre 2017.

69. Après un classement sans suite et l'abrogation du délit de harcèlement sexuel, le Tribunal correctionnel de Bobigny condamne M. V pour harcèlement moral à l'encontre de son ex-subordonnée. À lire sur le site de l'AVFT, 21 juillet 2016.

au management décontracté sont aussi des lieux à risque, explique Marilyn Baldeck, car « le flou entre le professionnel et l'intime rend d'autant plus difficile de poser des limites face à des comportements déplacés ». Dans un dossier plaidé par l'association, une salariée s'est plainte de harcèlement sexuel – son employeur lui faisait des propositions sexuelles, lui imposait des confidences sur sa vie sexuelle, commentait ses tenues de façon déplacée, lui donnait des petits noms, etc. : il s'est défendu en disant que ce n'était pas du tout du harcèlement sexuel, mais un « mode managérial tactile[70] ».

En écoutant Marilyn Baldeck dérouler ces exemples, une question, naïve, évidente, obsédante, me brûlait les lèvres : pourquoi ? Pourquoi certains hommes harcèlent-ils des femmes ? Et sa réponse est glaçante, déprimante : « S'ils le font, c'est parce qu'ils en ont le droit. Parce que dans les faits quand les femmes dénoncent et portent plainte il ne se passe pas grand-chose. » La loi dit que c'est interdit, mais elle n'est pas effective, ou insuffisamment : pour qu'elle le soit pleinement, il faudrait qu'il y ait une politique publique beaucoup plus ambitieuse, qui passe notamment par une politique pénale de poursuites systématique des agresseurs sexuels devant les juridictions répressives mais surtout par des condamnations civiles des employeurs et des indemnisations des victimes devant les Prud'hommes ou les tribunaux administratifs bien plus dissuasives.

De fait, comme pour d'autres violences de genre, les cas de condamnation pour harcèlement sexuel sont très rares. Sur le plan pénal, 93 % des plaintes pour harcèlement sexuel sont classées sans suite ou ne donnent pas lieu à une condamnation. La plupart du temps, les indemnisations décidées sur le plan du droit du travail sont dérisoires (entre 2 500 et 4 500 € en moyenne, sans parler de la difficulté à faire requalifier en licenciement nul un licenciement discriminatoire consécutif à la dénonciation d'un harcèlement sexuel…). Au demeurant, les femmes qui subissent, voire qui dénoncent, les faits de harcèlement sexuel finissent par quitter leur travail, souvent dans un état de santé très dégradé.

70. Michel Pourcet, « Harcèlement sexuel : un mode managérial tactile condamné », *FO*, 26 novembre 2017.

À nouveau, renversons notre regard. Les harceleurs ne sont pas des monstres. Ils ne sont pas malades. Il s'agit de monsieur Tout-le-monde. *Quel plaisir trouvent-ils donc à harceler ?* ai-je encore demandé à Marilyn Baldeck. Réponse implacable : « Le plaisir naît à la fois de l'exercice du pouvoir, parce que faire céder quelqu'un qui ne veut pas, c'est le nec le plus ultra du pouvoir. Et d'un autre côté, c'est un moyen de réassurance virile pour les hommes de contraindre les femmes. »

Devant les tribunaux, raconte-t-elle encore, les hommes accusés de harcèlement se défendent souvent en reconnaissant une partie des agissements qui leur sont reprochés mais en considérant qu'ils ont été mal interprétés par les femmes, ou bien qu'elles les ont provoqués, ou qu'elles étaient consentantes : « Madame n'a pas bien compris ; Madame n'a pas le sens de l'humour ; Madame n'a pas su poser de limites », énumère-t-elle. En quinze ans, Marilyn Baldeck assure n'avoir jamais entendu un seul homme, que ce soit devant un tribunal correctionnel ou devant un conseil des Prud'hommes, reconnaître les faits de harcèlement qui lui étaient reprochés. Jamais.

« Ni zorro ni zéro » : comment réagir en tant qu'homme quand vous êtes témoin d'une situation de harcèlement ?

Marilyn Baldeck : « Les zorros, ce sont des hommes qui joueraient les chevaliers servants ou les avocats des femmes qui n'ont rien demandé, qui mettraient en place des démarches qu'elles n'ont pas souhaitées : c'est complètement contre-productif. Les zéros, ce sont des hommes qui font comme si le comportement ne les concernait pas, du genre *ce sont des grandes filles, elles peuvent se débrouiller toutes seules*, et ne font absolument rien. Pour nous, l'attitude adaptée ce n'est pas de ne pas faire les choses à la place de la personne harcelée ; mais de prendre position, en tant qu'homme. De dire, par exemple : *Moi, à titre personnel, cette situation de harcèlement me dérange. En tant qu'homme je suis incommodé d'être exposé à cette culture machiste, à ces comportements misogynes, à ce harcèlement sexuel ; et je vous demande d'arrêter, pas parce que je prends la défense de telle ou telle femme mais, parce que moi je n'en peux plus*. Ainsi, ils se placent en tant que victimes secondaires du système. Et c'est cela qu'on attend d'eux : qu'ils considèrent qu'ils ont plus à gagner de s'affranchir de la norme dominante que de la conforter. »

Il est encore trop tôt pour mesurer l'impact du mouvement #MeToo, et savoir si ces comportements inacceptables de violences sexuelles, notamment au travail, vont être moins tolérés qu'avant. Mais l'un des enseignements de ce mouvement, et j'espère qu'on ne l'oubliera pas, c'est d'abord l'ampleur et la banalité inacceptables des violences sexuelles, dans tous les milieux de travail, et dans tous les pays du monde ; mais c'est aussi, sur le versant positif, la force et le courage qui naissent de la constitution de collectifs.

HARCÈLEMENT DE RUE OU AU BUREAU : MÊME COMBAT

En sortant de cet entretien avec Marilyn Baldeck, j'ai repensé aux cultures des entreprises dans lesquelles j'avais travaillé, comme serveuse, hôtesse d'accueil, secrétaire et journaliste. Ainsi, dans l'une des rédactions où j'ai travaillé, des chefs et des collègues me faisaient tous les jours des remarques sur mon apparence physique. Ils me félicitaient si mes sourcils étaient bien épilés, si j'avais maigri, s'ils me trouvaient bien habillée ; la taille de ma poitrine était un fréquent sujet de plaisanteries ou de remarques. Parmi les hommes plus âgés de la rédaction, certains ne communiquaient avec moi que sur le mode du flirt condescendant ; je pense qu'ils ne s'en rendaient même pas compte. Ce n'était ni méchant ni hostile de leur part, ils ne cherchaient pas à me nuire : je pense qu'ils n'arrivaient tout simplement pas à envisager une autre façon d'interagir avec une jeune femme de vingt ans. Je n'étais pas d'abord une collègue, avec qui ils auraient pu échanger des réflexions sur l'actualité, j'étais avant tout une jeune femme, avec qui ils pouvaient badiner. Ils se pensaient galants. Et de mon côté, je dois reconnaître que je me prêtais, un peu gênée, à ce script relationnel affreusement étroit ; parce que je ne savais pas encore comment faire autrement, parce que c'est comme ça que j'ai été socialisée, à faire plaisir, à être mignonne. C'est en lisant le livre de Manon Garcia, *On ne naît pas soumise, on le devient*, que j'ai compris clairement les ressorts de cette attitude de soumission (on y reviendra dans la partie Exploitation).

À la réflexion, je ne vois pas de différence profonde entre leurs attitudes et celles des harceleurs de rue. Dans les deux cas, je les analyse comme des performances de masculinité, entendue comme le privilège de pouvoir commenter l'apparence des femmes, de les interrompre, de leur imposer des interactions sexualisantes. Sauf que dans un cas on appelle ça du harcèlement de rue, et dans l'autre, de la galanterie. Un vrai cas d'école, qui vient valider la puissance de l'analyse de Raewyn Connell : les deux pratiques sont la masculinité comme privilège et comme pouvoir ; mais l'une est valorisée, souhaitée, légitimée, c'est-à-dire perçue comme normale (parce qu'elle est le fait des classes dominantes, de la masculinité hégémonique), l'autre est perçue comme déviante et répréhensible (parce qu'elle est associée aux masculinités populaires et marginalisées).

Le style diffère – plus ou moins raffiné, plus ou moins cru, plus ou moins imaginatif – mais pas les effets : dans les deux cas les harceleurs de rue et les galants du bureau me ramenaient à ma condition de friandise visuelle. Dans les deux cas ils m'incitaient à passer un temps considérable à me préoccuper de mon apparence – pour avoir l'air jolie mais pas salope, pour recevoir des compliments mais pas me faire emmerder. Dans les deux cas, ils m'imposaient leur script relationnel : la seule relation qu'ils avaient l'air d'envisager avec moi, c'était de me baiser ou de flirter ; les deux me réduisant à une position d'objet sexuel. Sauf que dans un cas je pouvais me permettre de les insulter et de leur dire d'aller se faire voir, et que dans l'autre j'ai choisi d'être polie et d'accepter en souriant de me soumettre à leur condescendance... et même, de tenter de la retourner à mon avantage. J'avais intégré ces contraintes, j'avais bien compris qu'une des façons de gagner de la valeur dans ce monde professionnel, c'était de me soumettre à ces attentes – être pimpante, avenante, de compagnie agréable – parce que je n'étais pas en position de les négocier. Les hommes de la rédaction avaient le droit de passer à l'antenne en étant mal fringués, mal coiffés ; les exigences d'apparence physique pour les femmes étaient infiniment plus élevées. D'ailleurs, à partir d'un certain âge, elles disparaissaient : la hiérarchie leur préférait des filles plus jeunes. Je me souviens encore du jour où j'ai proposé un reportage sur le harcèlement de rue. Ces mêmes hommes, aux comportements et mentalités sexistes, se sont dits horrifiés de ce que je leur racontais. Ils condamnaient des comportements rustres et grossiers (tout en persistant à les croire exceptionnels, le fait de "malades") : les mettre à distance leur permettait de se rassurer – eux au moins n'étaient pas comme ça !

Ce mécanisme de structuration des masculinités est très puissant, et s'applique à bien d'autres situations, comme nous allons le voir : ceux qui sont sexistes et misogynes, ce sont toujours les autres. Les pratiques des hommes de notre propre classe sociale, groupe racial, milieu socioculturel, c'est toujours autre chose : gaillardise, grivoiserie, galanterie, séduction à la française, libertinage. C'est pourquoi toute cette répression contre le harcèlement de rue en plus d'être inefficace[71], me paraît injuste : c'est toujours aux mêmes qu'on s'attaque. Dans les couloirs des bureaux ou de l'Assemblée nationale, les harceleurs et les sexistes sont encore tranquilles. Si on veut vraiment que les femmes cessent d'être harcelées, alors il faut s'attaquer à tous les harceleurs, dans tous les milieux.

« Ceux qui sont sexistes et misogynes, ce sont toujours les autres. »

Et au final, pour revenir au travail, que faire ? Là encore, la solution passe nécessairement par la prise de conscience des privilèges que confère un monde construit au masculin-neutre. Comme pour la ville, comme pour la construction des objets, si on ne prend pas en compte dans le monde du travail le point de vue, les besoins, les spécificités des personnes qui ne sont pas des hommes blancs hétéros valides, elles continueront à en être mécaniquement exclues. On ne peut pas attendre passivement que la situation s'équilibre. Dans une sphère publique historiquement pensée au masculin-neutre, il est injuste d'attendre des femmes qu'elles s'y adaptent. Et symétriquement, il me semble important que les hommes comprennent comment, même s'ils sont irréprochables dans leur comportement, s'ils n'ont jamais exclu, harcelé ni agressé personne, ils bénéficient du privilège masculin, sans rien faire. Juste en existant.

À l'heure de conclure cette partie, je voudrais insister une dernière fois sur la force du masculin-neutre. Être la norme, c'est un privilège. Être la norme, c'est ne jamais avoir à se remettre en question. C'est

71. En France, depuis le 1er août 2018, les « outrages sexistes » sont passibles d'une amende, 90 euros au minimum. En Belgique, une loi contre le harcèlement de rue existe depuis 2014, sans presque aucun effet.

naître et vivre avec un sentiment de légitimité tranquille. C'est évaluer le monde selon sa propre perspective et la croire toujours objective... Aucun bénéficiaire de privilège n'a objectivement intérêt à le remettre en question.

Je comprends que quand les privilèges sont nommés et identifiés, cela provoque des réactions de déni outré, de colère, de peur, et d'opposition[72]. Parce que la reconnaissance du privilège fait naître des questionnements sur sa propre histoire : ai-je vraiment mérité la place que j'occupe, ou est-ce que tout un système de hiérarchisation a fait en sorte que je sois favorisé·e, juste parce que je suis né homme, parce que je suis né·e blanc·he, parce que je suis né·e dans une famille bourgeoise et pas d'ouvriers ? Des questionnements sur sa valeur morale : si je bénéficie de privilèges sans activement combattre le système qui les permet, est-ce que cela fait de moi "une mauvaise personne" ? Parce que si on pense que cet ordre est injuste, alors on ne peut plus, sans être incohérent, ne pas essayer de le combattre. Et c'est cela, à mon avis, que beaucoup veulent s'épargner – trop d'efforts, trop de changements, trop de questionnements, trop de troubles.

POUR ALLER PLUS LOIN

- *Réflexions sur la question gay*, de Didier Eribon (Fayard)
- *Des intrus en politique - Femmes et minorités : dominations et résistances*, de Mathilde Larrère et Aude Lorriaux (éditions du Détour)
- *Cours petite fille !* Collectif (éditions des Femmes)
- *Boys' Don't Cry*, sous la direction de D. Dulong, C. Guionnet et É. Neveu (P.U.R.)

72. C'est ce qu'on appelle la "fragilité des privilégié·es". Quand des personnes blanches nient avec émotion les privilèges dont elles bénéficient dans un système raciste, c'est "la fragilité blanche", comme l'a conceptualisée la sociologue Robin DiAngelo dans *White Fragility : Why It's So Hard for White People to Talk About Racism*, Beacon Press, 2018.

Prendre conscience d'une partie de son privilège masculin, c'est ce qu'a tenté de faire l'invité de l'épisode 14, Raphaël Liogier : je pense que beaucoup d'hommes pourront se reconnaître dans ses réactions face à #MeToo. D'abord le déni de réalité (ça ne l'intéressait pas), ensuite la prise de conscience de l'ampleur des violences sexistes, et enfin une tentative d'introspection personnelle et de reconnaissance de sa propre responsabilité dans le maintien de ce système.

Une autocritique du mâle

Raphaël Liogier est sociologue et philosophe, professeur à l'IEP d'Aix-en-Provence. Il est l'auteur d'une quinzaine d'ouvrages sur la mutation des identités, les croyances et les mythes contemporains, la religion, le travail, les robots... Il a publié en mars 2018 *Descente au cœur du mâle : de quoi #MeToo est-il le nom ?*

En octobre 2017, la révélation de l'affaire Weinstein a déclenché une vague historique de témoignages de femmes de tous pays et de tous milieux sur la banalité des violences sexuelles, du harcèlement, de la misogynie dont elles sont victimes : c'est le mouvement #MeToo. Enfin les femmes semblaient écoutées, enfin on en parlait publiquement : ça faisait du bien. Mais les hommes avaient-ils quelque chose de sensé à répondre à ce que nous, par millions, étions en train de dire ? Eh bien... pas vraiment. Il y avait bien eu quelques tweets, quelques témoignages isolés. Mais de la part des intellectuels, des artistes, des politiques, c'était le silence... ou alors une levée de boucliers – et tous ces hommes qui se demandaient, la bouche en cœur : mais comment on va faire pour draguer, maintenant ? Et dire que ce sont les féministes qu'ils accusent de "tout confondre", drague et harcèlement... J'ai donc apprécié, à sa parution, la tentative de Raphaël Liogier de dresser un bilan introspectif, intime autant que collectif, de ce que lui ont appris les mouvements #MeToo et #BalanceTonPorc. D'autant plus qu'il est le seul de mes invité·es à n'être ni familier des études de genre ni engagé dans les luttes féministes. Maintenant que plus personne ne peut faire semblant d'ignorer l'ampleur des violences sexuelles infligées aux femmes, que peuvent faire les hommes ? Quelles seraient les justes attitudes à adopter ?

Raphaël Liogier, vous vous décrivez dès la deuxième phrase de votre livre comme "homme, européen, citadin, occidental, nanti, blanc, hétéro". Pourquoi ?

C'était important de l'écrire pour signifier que je n'allais pas parler des femmes, parce que j'en serais tout bonnement incapable, mais que je voulais écrire sur le regard des hommes sur les femmes.

Vous écrivez qu'en lisant tous ces tweets, vous vous êtes senti heurté dans votre virilité. Pourquoi ?
Parce que même si je ne me sentais pas coupable de harcèlement et de viol en tant qu'individu, je me sentais responsable en tant qu'homme, de ce regard qu'on pourrait appeler le regard de la sexualité weinsteinienne. À partir du néolithique, non seulement les femmes ont été mises à l'écart, reléguées dans le monde domestique, mais elles sont devenues elles-mêmes une domesticité, c'est-à-dire un objet, source de prestige, à accumuler. D'où l'idée qu'introduire son sexe dans un vagin de femme équivaut à prendre quelque chose, à la prendre même, à la soumettre. Une matière passive qui devient, comme tout bien, une sorte de valeur dans une sorte de marché et qui perd de la valeur à l'usage. D'où, la sexualité féminine...

Vous faites allusion à cette idée que plus une femme a de partenaires sexuels, moins elle a de la valeur ?
Exactement. Alors que pour les hommes, c'est une source de prestige.

Mais quel est le rapport entre Weinstein et tous les hommes ? Diriez-vous que les hommes sont élevés pour avoir une sexualité weinsteinienne ? Que chacun à son niveau, tous ont cette mentalité, qui est de coucher avec des femmes pour accroître leur capital – ou plutôt de jouir du pouvoir qu'ils ont sur les femmes ? Vous écrivez par exemple qu'il est assez classique que des hommes veuillent coucher avec des femmes, pas tellement pour le plaisir sexuel qu'ils vont en retirer, mais pour le plaisir de s'en vanter auprès des copains, le lendemain.
Ça n'exclut pas le plaisir sexuel... Mais le plus important c'est l'acte de possession du corps de l'autre. Il est vrai que les femmes ont intériorisé, pendant des millénaires, l'idée que leur corps est quelque chose qu'elles négocient. En se soumettant au regard des hommes, elles ont fini par nier elles-mêmes leur plaisir, en le décalant ou en l'oubliant, puisque, étant représentées comme un objet de jouissance, elles ne pouvaient pas elles-mêmes jouir. C'est ce que j'appelle (au-delà de l'excision physique qu'on trouve dans certaines sociétés) l'excision morale, qu'on retrouve dans toutes les sociétés, y compris la nôtre.

Mais du côté des hommes... ?
Tant que le regard des hommes sur le corps des femmes n'aura pas changé au point de reconnaître que les femmes peuvent agir avec leur corps de façon libre, les autres égalités seront fragiles. Parce que le cœur de l'inégalité depuis le néolithique, ce qui a justifié l'inégalité économique, ce qui a justifié l'inégalité en droit, c'est le rapport au corps.

Pourquoi un tel acharnement, depuis la nuit des temps, des hommes contre les femmes ? Vous dites que la grande peur des hommes, c'est celle de la puissance des femmes. Nietzsche dit que la violence naît de la peur et du sentiment d'impuissance...
Exactement. La caractéristique du viol, c'est qu'il conduit à une culture de la réassurance d'une force dont on n'est pas sûr. Voilà pourquoi la masculinité porte à une

culture du viol. Et violer sert à réassurer sa masculinité.

Avec cet essai, vous avez voulu « engager pleinement votre personne ». Qu'est-ce qui a changé en vous, Raphaël Liogier, depuis #MeToo ?
Au départ je n'avais pas prévu d'écrire ce livre. Je n'avais entendu parler de #MeToo que dans les médias, sans prendre la peine d'aller lire les témoignages. Je répétais un peu bêtement ce que j'entendais : c'est de la vengeance ; c'est la mort du flirt et de la galanterie ; on pourra plus draguer, etc. Un jour, j'en discute avec une amie qui me dit : « Tu n'as vraiment rien compris. Tu passes vraiment à côté, et ça me met en colère » — bref, elle m'engueule plus ou moins. Je me sens un peu vexé et elle me dit : « Est-ce qu'au moins tu es allé sur Twitter lire les témoignages ? » J'ai dit oui, alors que c'était faux. Quand j'ai raccroché, j'y suis allé. Et j'ai lu. Et même si moi je n'ai pas violé ni harcelé, j'ai compris que par mon regard, ma façon d'être, je participais à cette masculinité-là. Je me suis souvenu de la cour d'école. Quand j'étais adolescent, j'étais souffre-douleur ; je crois que pour compenser j'ai surenchéri dans la virilité. J'ai compensé en prétendant que j'étais sorti avec des filles avec qui je n'étais pas sorti, par exemple. Toute une série de choses qui sont liées à ce capitalisme sexuel. Donc, je me suis dit : certes je ne suis pas un harceleur, mais je vois bien que j'entretiens, moi aussi, ce rapport au corps des femmes.
Il y a des livres qu'on écrit et il y a des livres qui vous écrivent plus que vous ne les écrivez. Ce livre, il m'a écrit, il m'a forcé à changer mon regard sur les femmes, que je croyais être ultra progressiste et très positif.

Concrètement ?
Concrètement, je me suis rendu compte que dans mon comportement, dans ma manière d'être, dans mes fantasmes, dans ma vision, même dans ma sexualité, je suis dans une forme de condescendance dont je n'avais pas conscience. #MeToo m'a permis de comprendre, de façon encore plus émotionnelle, ce que j'avais déjà plus ou moins compris intellectuellement : que le cœur de l'inégalité, c'est le corps. On fait en sorte de parler d'autre chose – le droit, l'économie... – alors que c'est ça qui le justifie. Pour autant je ne peux pas abandonner ma masculinité, ma virilité. Comme je pense que la plupart des femmes ne peuvent pas abandonner leur féminité.

Donc, vous croyez à la masculinité saine ?
Je crois qu'on peut dépasser une masculinité fermée, qui a été celle de l'oppression et que ça permet de décloisonner les rapports. Plutôt que de transformation, je préfère parler de "transvaluation". La transformation implique qu'on se débarrasse des formes. Transvaluation, ça veut dire qu'on garde les formes, puisqu'elles se sont construites depuis des dizaines de milliers d'années. On les garde, mais on leur donne une autre signification, ouverte.

Comment cela pourrait-il se matérialiser ? Vous écrivez, page 9 : « Ils ont du mal, j'ai du mal, nous avons du mal, à redéfinir

nos ambitions d'homme, nos fantasmes d'homme, nos comportements d'homme, nos désirs d'homme. Peut-on vraiment redéfinir ses désirs ? »
Je crois au va-et-vient entre nos comportements et l'intelligence. Entre les deux, nos sentiments se transforment petit à petit. C'est comme le yoga, que je pratique régulièrement : on ne peut pas être souple d'un seul coup, parce que si on force on se fait une élongation, et le muscle se rétracte encore plus. Donc, au lieu d'essayer de tout changer d'un coup, il faudrait faire une sorte de... yoga de la virilité.

Pourquoi est-ce tellement difficile de se reconnaître comme dominant, quand on l'est ? De réaliser qu'on a les privilèges liés à son genre ?
Lorsqu'on reconnaît qu'on est dominant, on doit remettre en cause son propre mérite, sa propre situation. [...] C'est ce que j'appelle la responsabilité, sans forcément la culpabilité.

Qu'est-ce cela veut dire, de se reconnaître responsable mais pas coupable ?
La culpabilité, c'est individuel. J'ai fait ceci ou cela, et donc je bats ma coulpe. Cette culpabilité, elle permet parfois de se déresponsabiliser – comme dans la religion catholique : je suis coupable, mais je vais dire trente Pater, cinquante Ave Maria, etc. Je pense que nous devons progressivement nous exercer, non pas à nous autoflageller, mais à sortir de la définition rigide et fermée de la virilité, qui suppose le regard dépréciatif capitalistique sur le corps des femmes.

La responsabilité de chacun des hommes, ça peut aussi être une responsabilité face à leur entourage : amis, collègues, pairs... Pour briser la solidarité masculine.
Bien sûr, la responsabilité suppose un engagement positif. S'engager le plus individuellement possible dans mon comportement sexuel, par exemple, et à m'engager ensuite socialement, politiquement, économiquement, dans mes discours.

Dans votre vie professionnelle, voyez-vous ce que vous pouvez faire pour assumer cette responsabilité ?
Je le fais déjà à titre individuel, dans mes conversations. Parce que je veux être dans la vérité, je fais attention non seulement à ce que je dis, mais aussi à ce que j'éprouve. J'essaie de réfléchir à la structure même de mon désir. Et le seul fait de le verbaliser – comme dans une psychanalyse – me met en recul. C'est intéressant parce que le désir de domination est quelque chose de fantasmatique dont on ne pourra pas sortir – et peut-être même, dont grand nombre de femmes ne pourront pas sortir. Cette excision morale, qui était liée à la féminité fragile, c'est ce qu'on retrouve dans la tribune du *Monde* sur la « liberté d'importuner » [signée par un collectif de femmes, dont Catherine Deneuve et Catherine Millet] : ce sont des femmes qui ne sont pas prêtes à abandonner le confort de leur propre fragilité, de leur propre charme, d'être dominées en quelque sorte. Pour reprendre une idée de Simone de Beauvoir : la guerre des sexes, c'est quand même la seule guerre au monde où ne peut pas s'empêcher d'être un peu complice de ses ennemis.

Votre livre s'achève par deux pages que j'ai trouvées très belles, qui sonnent un peu comme un programme. Est-ce que vous voulez bien en lire la fin, s'il vous plaît ?
Il faudrait pouvoir lâcher prise, vraiment. Ne plus assigner et s'assigner l'autre et soi, en rôle préconçu. Ne plus assigner une identité préconçue, ni celle de la reproductrice, ni celle de la poupée Barbie, ni celle du héros, ni celle de celui qui sait, ni celle du tombeur, ni rien d'autre de prédéterminé. Parvenir à fluidifier les situations. Ne pas s'arc-bouter sur une image fixe, de l'homme que nous devrions être et surtout paraître. Surmonter l'éventuelle honte ou l'embarras qui peut surgir lors d'une rencontre ou dans une relation, avec une femme qui gagne plus d'argent, qui a plus de succès, qui occupe une fonction hiérarchique plus élevée, qui a eu une vie sexuelle plus épanouie, ce qui n'empêche pas de séduire, de jouir du consentement de l'autre. En quête de sexe épisodique ou de grand amour, peu importe. Ne plus voir en l'autre une cible à atteindre, un objet à saisir, l'occasion d'une démonstration de force, mais un sujet volontaire et désirable, parce que volontaire, qui ne se dégrade nullement, en se comportant aussi librement que nous. L'égalité est libératrice, parce qu'elle révèle les artifices du théâtre social qui nous imposait, à l'un comme à l'autre, un rôle écrit d'avance. S'ouvre alors un espace de confiance en soi et en l'autre, comme une terre inexplorée, où quelque chose de nouveau et de commun peut se construire.

EXPLOITATION

« En refusant de considérer le "travail" et la "vie privée" comme deux sphères distinctes, la nouvelle vague féministe ne limite pas ses luttes à l'un de ces espaces. Et en redéfinissant ce qu'est le "travail" et qui sont les "travailleurs et travailleuses", elle rejette la dévalorisation structurelle du travail des femmes – à la fois payé et non payé – par le capitalisme. »

Manifeste Féminisme pour les 99%, 2019

I ain't gon' be cooking all day,
I ain't your mama
I ain't gon' do your laundry,
I ain't your mama
I ain't your mama, boy, I ain't your mama
When you're going to get your act together ?

Jennifer Lopez, *Ain't your mama*, 2016

Privilégiés à la ville et au travail, les hommes le sont aussi à la maison – du moins, quand ils sont en couple hétérosexuel – en participant moins à la gestion du ménage et en bénéficiant de plus de temps libre.

Année après année, les statistiques le montrent : si l'on additionne les heures de "travail" rémunéré et non rémunéré[73], les femmes travaillent plus que les hommes. On peut le dire sans colère, juste en regardant les faits : dans l'ensemble, les hommes profitent du travail domestique fourni gratuitement par les femmes. Littéralement, cela se nomme "exploitation".

Je sais, le mot semble fort. Nous ne sommes pas habitué·es à l'utiliser dans le cadre de la famille et du couple – qu'on envisage sous le prisme de l'amour et des liens librement choisis, radicalement séparé de la sphère publique et qui échapperait à tous les rapports de pouvoir. Pourtant, il s'agit bien de profiter et de se déresponsabiliser. Et, comme on va le voir, ça dépasse largement le repassage des chemises, la cuisine et le lavage des vitres.

73. Selon l'INSEE, le temps consacré à la production domestique sur une année en France représente une à deux fois le temps de travail rémunéré.

Travail domestique : l'exploitation invisible

Nous avons toutes et tous besoin de nous nourrir, de nettoyer l'endroit où nous vivons et les vêtements que nous portons. Même les reines et les milliardaires n'y échappent pas : toute vie humaine demande un minimum de travail de cuisine, ménage, vaisselle, entretien du linge. Il s'agit d'un travail, puisqu'on peut potentiellement payer quelqu'un d'autre pour le faire.

Or la socialisation de genre influence profondément la façon dont on envisage, connaît et exécute ce travail, et la façon dont il est réparti dans une famille. Le travail domestique comprend toutes ces tâches indispensables, dites "tâches ménagères" ; mais aussi les tâches parentales (soin et éducation des enfants) et, ce qu'on oublie souvent, toutes les tâches effectuées pour l'activité professionnelle du conjoint. La femme qui fait la comptabilité du garage de son mari travaille gratuitement (sans être déclarée et payée) ; celle qui tient le secrétariat et l'accueil du cabinet médical de son mari, aussi – ce sont des situations qu'on retrouve fréquemment dans les ménages d'agriculteurs, d'artisans, de professions libérales… et même de ces travailleurs dits "indépendants". Par travail domestique, on désigne donc du travail effectué gratuitement pour autrui dans le cadre du ménage et de la famille.

MASCULINITÉ ET TRAVAIL DOMESTIQUE : C'EST COMPLIQUÉ…

À travers ses enquêtes « Emplois du temps », l'INSEE a entrepris de mesurer précisément le nombre de minutes consacrées par les individus à chacune de ces tâches, sur une année. Ce sont donc des résultats fiables, précis, qui reposent sur un large échantillon de population[74]. Accrochons-nous, les résultats sont déprimants. En moyenne, sur une journée en 2010, les femmes consacrent 50 % de temps en plus que les hommes au travail domestique. Un homme ne consacre que 2 heures de son temps chaque jour aux corvées domestiques contre 3 heures 26 pour une femme. On entend souvent que les choses ont quand même progressé depuis les années 1980, que les nouveaux compagnons n'ont rien à voir avec les vieux patriarches qui mettaient les pieds sous la table. Pas du tout. Entre 1986 et 2010, le temps domestique des hommes n'a augmenté en moyenne que de 17 minutes par jour. Bravo les gars.

À chaque nouvelle arrivée d'enfant, le temps de travail domestique des femmes augmente ; celui des hommes, lui, reste stable. On observe aussi des différences dans la nature des tâches prises en charge : les femmes passent deux fois plus de temps que les hommes aux activités de ménage et de courses, les hommes passent deux fois plus de temps que les femmes au jardinage et au bricolage. Pour les enfants, les hommes s'impliquent davantage dans les activités ludiques ou affectives ; les femmes dans les soins quotidiens (s'habiller, faire ses devoirs, se déplacer, etc.). Et quand une tâche est jugée rébarbative par les deux (exemple : le repassage), ce sont les femmes qui s'y collent. Voilà pour le constat global.

74. Tous les chiffres qui suivent sont issus de « Le temps domestique et parental des hommes et des femmes : quels facteurs d'évolutions en 25 ans ? », *INSEE* , 2015.

C'est très pénible et dérangeant à reconnaître, surtout depuis que les couples se forment par amour, mais le couple est donc aussi le lieu d'une exploitation économique. Ce sont des faits indéniables, mesurés, confirmés chaque année.

Pourquoi ? Comment ? D'où cela vient-il ? Qu'est-ce que cela veut dire de vivre comme un homme dans sa maison ? Avant même d'habiter en couple, nous recevons, en fonction de notre genre, une socialisation complètement différente concernant les tâches ménagères, l'occupation et la perception de l'espace. D'abord parce que cette socialisation se transmet largement par imitation : les petites filles imitent leurs mères, les petits garçons leurs pères. On offrira aussi plus volontiers des mini-objets ménagers aux petites filles (petit balai, dînette, et même fer à repasser) qu'aux petits garçons. Les filles sont encouragées à être plus soigneuses, plus ordonnées, plus propres, et on va aussi leur en demander plus à la maison.

Résultat : après vingt ans de cette éducation, les étudiantes qui vivent seules consacrent déjà deux fois plus de temps aux tâches ménagères que les étudiants (1 heure 11 contre 40 minutes). On comprend pourquoi les standards en termes de propreté, de soin apporté à l'ameublement et à la décoration sont généralement beaucoup plus élevés chez les femmes... Celles-ci les ont intériorisées, et peuvent évidemment y prendre beaucoup de plaisir – personnellement j'adore faire le ménage (surtout en écoutant des podcasts), je n'envisage pas de vivre dans un appartement que je n'aurais pas décoré, etc. Je pense à toutes ces copines qui s'excusent immédiatement que ça soit "le bordel" ou "pas rangé" quand j'arrive chez elles (alors que franchement, ça va), et symétriquement, aux fois où, débarquant dans des appartements d'hommes célibataires, ou des colocations masculines, j'ai souvent été surprise par la crasse et le désordre, et encore plus par leur absence totale de gêne.

De fait, je crois ces hommes qui expliquent, en toute bonne foi, qu'ils ne voient pas ce qu'il y a à faire dans la maison : ils n'ont pas été socialisés à en être responsables. Ou plus exactement : sans doute voient-ils ce qu'il y aurait à faire, mais ces perceptions visuelles ne sont pas analysées comme des données pertinentes appelant à une action (en gros, le lien ne se fait pas entre "mes carreaux sont sales" et "je dois les laver").

Je me souviens que, la première fois où je suis allée chez celui qui allait devenir mon amoureux pendant trois ans, je lui ai demandé d'où venait la grande photographie au-dessus de son lit (un bouquet de coquelicots dans un vase bleu). Il m'a regardée tout surpris : cela faisait deux ans qu'il habitait dans cette chambre et c'était la première fois qu'il remarquait cette affiche. Elle était déjà là quand il était arrivé ; c'était la locataire précédente qui l'avait accrochée.

En 1949, dans *Le Deuxième Sexe*, Simone de Beauvoir remarquait que « l'homme ne s'intéresse que médiocrement à son intérieur parce qu'il accède à l'univers tout entier et parce qu'il peut s'affirmer dans des projets. Au lieu que la femme est enfermée dans la communauté conjugale : il s'agit pour elle de changer cette prison en un royaume. » Soixante-huit ans plus tard, Titiou Lecoq s'est penchée sur la question. Journaliste et mère de famille, elle cohabite avec trois individus de sexe mâle : ses deux jeunes fils Têtard et Curly (oui, ce sont des surnoms), et leur père Monsieur Chaussette (surnom qui lui vient de sa propension à laisser traîner ses chaussettes sales). Démoralisée par le constat que malgré ses convictions féministes (et celles de son conjoint), elle aussi s'était retrouvée à assurer la quasi-totalité du travail domestique, elle s'est attaquée au sujet dans son livre *Libérées*[75], dont nous avons discuté dans le troisième épisode, *Des chaussettes et des hommes*. En faisant ses recherches, elle a découvert l'histoire méconnue des tâches ménagères. On pense volontiers qu'il s'agit de gestes transmis de mères en filles depuis des temps immémoriaux. Sauf que ces tâches elles-mêmes ont une histoire politique : au milieu du XIXe siècle, par exemple, avec les découvertes de Pasteur sur les microbes, l'hygiène est devenue un problème de santé publique. Le ministre de l'Éducation Jules Ferry instaure alors, en même temps que l'école républicaine, des cours d'éducation ménagère, obligatoires pour tous. Garçons et filles apprenaient donc à l'école les règles de l'hygiène, et comment garder une maison ordonnée. Sauf que les garçons ont vite été dispensés de cet enseignement... Tous nos gestes ont ainsi une histoire, impensée, inconsciente.

75. Titiou Lecoq, *Libérées, Le combat féministe se gagne devant le panier de linge sale*, Fayard, 2017.

MISE EN MÉNAGE : QUI FAIT LE MÉNAGE ?

On a vu qu'avant même d'emménager ensemble, les femmes et les hommes ont tendance à occuper et à percevoir l'espace domestique différemment. Il se trouve qu'en France une majorité d'hommes (61 %) vivent en couple hétérosexuel, donc avec des femmes. Et que se passe-t-il au moment de la "mise en couple" ? Le temps domestique des femmes augmente et celui des hommes diminue. Oui, avant même d'avoir des enfants.

En général, quand ce sujet s'invite dans une conversation, les contre-exemples fusent très vite, comme un réflexe. Chacun pense à ces filles qui vivent dans des appartements répugnants, ce pote qui "fait tout à la maison" tandis que sa femme "se tourne les pouces", ou ce cousin très "nouveau père", particulièrement investi dans les tâches parentales. Évidemment, de tels cas existent, mais ne sont pas représentatifs.

Et quand chacun·e regarde sa propre vie, on trouve le partage des tâches dans son ménage pas trop déséquilibré. Vraiment ? C'est que deux sortes de biais viennent fausser notre jugement : d'une part, tous les couples ont tendance à considérer que leur propre répartition des tâches est égalitaire même quand elle ne l'est pas du tout, parce qu'ils se comparent à d'autres couples, à leurs parents, et parce que les femmes ont tendance à sous-estimer le temps qu'elles passent aux tâches domestiques (et les hommes à le surestimer)[76]. D'autre part, on n'estime pas non plus l'intensité du travail effectué (en gros, le fait que votre ami ne va faire qu'une chose à la fois, pendant que votre cousine va être capable de préparer le repas, d'étendre le linge et de gérer les enfants en même temps).

Comment expliquer que les femmes se mettent subitement à en faire *encore* plus au moment de la cohabitation ? L'une des explications les plus fécondes est celle du *doing gender*[77] : effectuer des tâches ménagères est à la fois une façon de performer son genre et de prouver son amour à l'autre, son amour à sa famille. On se prouve qu'on est une "bonne" femme, on témoigne son amour à l'autre en faisant de bons petits plats, en tenant bien la maison. À l'inverse, parce qu'elles sont depuis si longtemps attachées au féminin, certaines tâches

76. François de Singly, *L'Injustice ménagère*, Hachette, 2008.
77. Candace West et Don H. Zimmerman, « Doing Gender », *Gender and Society*, 1987.

sont perçues comme dévirilisantes – laver les toilettes, par exemple. En revanche, percer des trous dans les murs pour fixer les étagères, bricoler dans la maison, s'occuper de la voiture, tondre la pelouse, est perçu comme virilisant. Accomplir des tâches ménagères, c'est donc aussi accomplir des performances de genre, qui apportent leur lot de plaisir et de satisfaction – parce que bien se conformer à son genre, c'est infiniment sécurisant. Voilà ce qui peut expliquer que nos habitudes soient si difficiles à changer[78].

Le système d'exploitation est donc déjà installé avant que les enfants n'arrivent – et avec eux, des tâches domestiques supplémentaires, et de nouvelles tâches administratives... L'augmentation du nombre d'enfants ne change pratiquement rien à l'activité des pères – les statistiques de l'INSEE montrent que leur taux d'activité reste stable autour de 95-97 %, et qu'ils en font toujours aussi peu à la maison. En revanche, l'arrivée des deuxième et troisième enfants fait nettement baisser le taux d'activité des mères : ce sont presque toujours elles (particulièrement dans les milieux populaires), et non les pères, qui se retirent du marché du travail pour s'occuper des enfants. Pendant ce temps-là, elles ne cotisent ni pour leur retraite, ni à l'assurance chômage. Je ne crois pas du tout qu'être mère au foyer soit intrinsèquement dégradant, je sais à quel point cela peut même être épanouissant. Mais il faut bien souligner les conséquences économiques de ce choix – dans un contexte où les couples éclatent de plus en plus souvent, les femmes qui ont travaillé au foyer risquent de se retrouver démunies. Les statistiques sur ce point sont implacables : en 2009, le niveau de vie des hommes divorcés ou ayant rompu un Pacs dans l'année était en moyenne 3,5 % plus élevé qu'avant la séparation. Après une rupture, le niveau de vie des femmes, lui, baisse en moyenne de 14,5 %[79].

Mais si les hommes en font moins à la maison, dira-t-on, c'est peut-être qu'ils n'ont tout simplement pas le temps, accaparés qu'ils sont par leur travail rémunéré ? Pas du tout. Il faut prendre le problème à

78. Voilà ce qui peut expliquer aussi ces heures que j'ai passées, durant l'écriture de ce livre, à faire le ménage ou à ranger la maison qu'on me prêtait plutôt que d'affronter la page blanche. Parce que, là, dans ces tâches que j'accomplis depuis toute petite, je me sens pleinement compétente. (Mais si vous lisez cette ligne, c'est que le livre est écrit, en fin de compte – et la maison est propre !)
79. Collectif « Les variations de niveau de vie des hommes et des femmes à la suite d'un divorce ou d'une rupture de Pacs », *INSEE Références*, 2015.

rebours : ce n'est pas parce que les femmes ont le temps de s'occuper de leur maison et de leurs enfants qu'elles le font. Elles n'ont pas le temps. Elles le prennent malgré tout. Les hommes aussi pourraient le prendre. Et plus facilement, même, car les statistiques de l'INSEE montrent qu'ils ont en réalité plus de temps libre : trois heures trente par semaine en plus que les femmes. Trois heures trente, pour aller sur Internet, regarder la télé, faire du sport... Cela vous surprend ? C'est comme si nous estimions toustes, collectivement, et dans nos couples, que le temps des hommes a plus de valeur ; ce que le marché nous confirme, puisque leur temps de travail rémunéré est mieux payé que celui des femmes. Tous temps de travail confondus (temps partiels et temps complets rassemblés), les hommes touchent 34,6 % de plus que les femmes[80]. Au fond, les femmes "compensent" le fait qu'elles gagnent moins sur le marché du travail en travaillant plus, gratuitement, à la maison.

CES SOLUTIONS SI DIFFICILES À APPLIQUER

J'entends bien que tout cela ne résulte pas d'une volonté consciente d'exploitation – aucun homme, je pense, ne se dit *Comment je vais faire en sorte d'exploiter ma femme ?* Ce n'est pas par méchanceté, hostilité ou volonté de nuire.

On pourrait se dire que les solutions à cette exploitation sont avant tout individuelles. Ce serait aux couples de négocier et de faire en sorte que la charge de travail soit équilibrée de part et d'autre. Mais, objectivement, les hommes n'ont aucun intérêt à ce que la situation change (puisque cela implique de sacrifier leur temps de loisir). Sans compter que les discussions sur les tâches ménagères peuvent être particulièrement pénibles. Dans "ménagère" on entend "mégère" et personne n'a envie de s'identifier à cette harpie revêche, armée de son rouleau à pâtisserie, qui fait la gueule parce qu'elle "fait tout à la maison". Personne n'a envie de s'engueuler sur ces sujets, même s'il y aurait de quoi : « Un homme sur quatre avoue qu'il reste plus longtemps au travail le soir, prétextant que son patron le lui a demandé, pour

80. « Ségrégation professionnelle et écarts de salaires femmes-hommes », *Dares Analyses*, novembre 2015.

rentrer après les devoirs et la préparation du repas. D'autres achètent la "paix" en faisant des cadeaux à leur compagne. La technique la plus répandue reste le fameux "je le ferai la prochaine fois". Plus original, 39 % avouent se cacher ou sortir de la maison. Certains ont même déclaré faire semblant d'être souffrants », rapportait un membre du Haut Conseil à l'égalité entre les hommes et les femmes[81].

Il existe bien une autre solution : le recours à des tiers. Le travail domestique étant la source de conflits la plus fréquemment citée dans les couples hétérosexuels de même niveau de diplôme, chez les couples qui peuvent se le permettre financièrement, la solution est souvent de faire appel à du personnel rémunéré – d'avoir une femme de ménage. Mais là encore, les femmes de ménage soulagent plus les hommes que les femmes des tâches domestiques. D'autant qu'elles sont souvent "gérées" par la femme ; c'est elle qui est en lien avec l'entreprise ou l'association employeuse, donne les consignes, l'emploi du temps, etc. En plus de créer des emplois précaires, mal rémunérés, sans possibilités d'évolution, le plus souvent assurés par d'autres femmes – une autre forme d'exploitation — on ne fait que déplacer le problème : tout ce qui relève du domestique est toujours pris en charge par les femmes. C'est pourtant cette solution que favorisent pour l'instant nos politiques publiques, en subventionnant l'emploi de services à domicile, via des crédits d'impôts. À l'échelle internationale, on assiste à de véritables "chaînes mondiales du care", telles qu'elles ont été mises en évidence par des féministes marxistes :

> *« Celles et ceux qui en ont les moyens embauchent des femmes pauvres, souvent migrantes ou racisées, afin qu'elles prennent en charge leur ménage et s'occupent de leurs enfants et de leurs parents âgés. Ce mécanisme permet aux plus riches de poursuivre leurs carrières dans des professions lucratives, tandis que les travailleuses du care, mal rémunérées, se démènent pour assumer leurs propres responsabilités familiales et domestiques, les transférant souvent à d'autres femmes encore plus pauvres qui, en retour, font de même – et ainsi de suite, souvent sur des grandes distances.*[82] »

81. Chiffres cités par François Fatoux dans un entretien donné à *Ouest France* le 8 mars 2015. Il est aussi l'auteur de *Et si on en finissait avec la ménagère ?*, Belin, 2014.
82. Cinzia Arruzza, Tithi Bhattacharya, Nancy Fraser, *Féminisme pour les 99% : Un manifeste*, La Découverte, 2019.

Enfin, il serait incomplet d'évoquer l'exploitation du travail domestique sans mentionner que les femmes elles-mêmes répugnent souvent à abandonner un domaine où elles se sentent compétentes. Le foyer n'est pas qu'une aliénation, c'est aussi le lieu où beaucoup de femmes sentent qu'elles peuvent s'épanouir ; choisir la décoration de l'appartement, la place de chaque objet, tout contrôler à la maison, donne une sorte de pouvoir. Et ce d'autant plus que le monde extérieur leur est hostile – comme peut l'être, on l'a vu, le monde du travail rémunéré. Le foyer est aussi un refuge contre les agressions misogynes (doublées de racisme pour certaines) de la rue et du travail.

Alors, que faire ? On pourrait déjà arrêter de penser l'accomplissement des tâches ménagères comme étant uniquement des preuves d'amour. Je pense aussi qu'on pourrait, individuellement, cesser de mépriser ce travail indispensable, comme le suggérait l'autrice féministe Annie Leclerc :

> « *Mesquin ? sombre ? ingrat ? dégradant ? Un travail bigarré, multiple, qu'on peut faire en chantant, en rêvassant, un travail qui a le sens même de tout travail heureux, produire de ses mains tout ce qui est nécessaire à la vie, agréable à la vue, au toucher, au bien-être des corps, à leur repos, à leur jouissance... Si ce travail était perçu à sa juste et très haute valeur, il serait aimé, il serait choisi, convoité autant par les hommes que par les femmes. Il ne serait plus ce boulet, cette oppressante, irrespirable nécessité...* [83] »

On pourrait aussi baisser notre niveau d'exigence – accepter de vivre dans un appartement sale, se dire que ce n'est pas grave si les enfants vont à l'école avec des pantalons tachés, mais ça a évidemment des limites : vivre dans un espace mal rangé, ne rien anticiper, génère aussi des pertes de temps (à chercher ses affaires) et d'argent (se faire livrer un repas parce qu'on n'a pas fait les courses, etc.). Ou alors, aller jusqu'à la grève ? Je me souviens de cette femme qui racontait avoir fait "la grève de l'organisation", jusqu'à ce que la maison se retrouve sans papier toilette. Elle avait fini par retrouver le Sopalin dans les toilettes.

83. Annie Leclerc, *Parole de Femme*, Grasset, 1974.

Titiou Lecoq propose une solution intéressante : elle suggère qu'avant d'emménager ensemble, les couples « s'installent autour d'une table pour réfléchir à des normes communes et à une répartition équitable ». Ça ne paraît ni sexy ni amusant, mais je suis d'accord avec elle, c'est indispensable. Tout comme parler d'argent. D'ailleurs, après l'enregistrement de l'épisode *Des chaussettes et des hommes* avec Titiou Lecoq, c'est ce que j'avais proposé à mon amoureux de l'époque (celui de l'affiche des coquelicots) : allons boire une bière et parlons d'argent et de tâches ménagères ! Je lui avais fait remarquer, par exemple, que j'étais celle qui se chargeait de tout ce qui concernait la maison, et que nous partagions toutes nos dépenses à égalité (moitié du loyer, moitié des courses, des voyages) alors que je gagnais trois fois moins que lui. À l'idée d'une telle réunion, il s'était décomposé, s'était écrié que cette discussion bassement matérialiste était un tue-l'amour, indigne de la grande passion romantique que nous vivions. Ça n'était pas du tout par radinerie – il était par ailleurs très généreux. Ce qui lui faisait horreur, c'était d'aborder le sujet frontalement, de façon dépassionnée ; de regarder en face le fait que le couple est aussi une unité économique, avec des rapports d'exploitation, du travail, de l'argent qui circule ; le nôtre, comme les autres. Je pense que beaucoup pourront se reconnaître dans cet exemple : au nom d'un idéal, l'homme refusant de questionner une situation qui l'avantage objectivement (quand j'y repense, quelle illustration parfaite des privilèges masculins et de la difficulté de les dépasser...).

On le voit, il reste encore du boulot pour que les choses changent. C'est une pelote tellement emmêlée qu'on ne sait pas sur quel fil tirer pour la défaire : il faudrait à la fois que la vie des hommes change, que nos représentations changent, et que nos politiques publiques changent. Parce que tout ce travail effectué par les femmes, c'est du travail gratuit. L'exploitation domestique est l'exploitation économique la plus radicale, et c'est en la voyant comme une exploitation qu'on pourra s'en sortir, qu'on pourra comprendre que ce n'est pas une question de "partage des tâches" : parce qu'on ne peut pas partager équitablement une exploitation. La seule solution, c'est que personne ne travaille gratuitement pour quelqu'un d'autre. C'est en cela que je dis que la masculinité repose aussi sur l'exploitation du travail des femmes : la masculinité-performance peut par exemple consister à rester très tard tous les soirs au boulot. Avec un double avantage : se valoriser comme homme qui travaille énormément ET échapper aux tâches ménagères...

À lire les histoires que me rapportent les auditeurices, à observer mon entourage (même les couples qui se disent les plus féministes), abolir l'exploitation domestique paraît extraordinairement difficile. Désincorporer ces gestes ménagers tellement ancrés demande une telle attention, de tels efforts pour ne rien lâcher, pour comprendre que ce n'est pas une question de principe ni une lubie de féministe extrémiste, qu'au final beaucoup se résignent. Personnellement, malgré tout mon optimisme, je choisis la seule solution qui me paraît cohérente : refuser fermement toute proposition de mise en ménage. Emménager avec un homme, quand on est une femme, c'est prendre le risque de voir son temps de travail doubler. Quelle ironie, quand on pense que ce sont souvent les femmes qui insistent pour emménager ensemble, alors qu'il est très probable que ce sont elles qui y perdront. Mais je reconnais que cette solution est difficilement généralisable ; toutes les femmes n'ont pas envie de vivre seules. Ou tout simplement... pas vraiment les moyens (et on en revient aux inégalités de salaire).

Si j'essaie de résumer : une prise de conscience de cette exploitation domestique – dans chaque couple – serait une première avancée. Que chaque homme fasse sa part ce serait mieux... mais ce ne serait qu'un début. Car les tâches ménagères ne sont que la partie émergée du grand iceberg du travail domestique – la partie quantifiable. Il faut y ajouter tout ce qui ne se mesure pas, comme l'intensité des tâches, sur lesquelles il n'existe pas de données... et surtout l'immense partie immergée de l'iceberg : la fameuse charge mentale.

Charge mentale et travail émotionnel

La "charge mentale" qui échappe aux hommes et pèse sur les femmes est un phénomène désormais bien connu. Il a été conceptualisé en France par des sociologues à la fin du XXe siècle. Longtemps cantonné aux milieux féministes, il a été repopularisé en France grâce à la bande dessinée d'Emma, *Fallait demander*[84], qui dès sa mise en ligne a circulé à toute vitesse sur Internet, repostée encore et encore.

La charge mentale, c'est le fait d'avoir en permanence dans un coin de la tête l'organisation de la vie du foyer et de ses membres – non seulement la majorité du travail d'exécution concrète de ces tâches, mais aussi leur gestion, leur planification et leur suivi.

84. Disponible sur son site emmaclit.com et publiée dans son album *Un autre regard*, Massot éditions, 2017.

Comme le résume mon amie Karine, féministe qui vit en couple avec le père de ses deux enfants : « La charge mentale, c'est avoir quatre vies dans la tête au lieu d'une. » Karine peut dire avec précision où se trouvent chacun des membres de sa famille et ce qui est prévu dans leurs emplois du temps ; elle s'organise autour de ces contraintes. « La charge mentale, c'est quand j'organise ma vie professionnelle autour de celles des enfants et des tâches ménagères, alors que lui l'organise autour de... lui », résume l'un des posts de @taspensea, compte Instagram consacré à la question dont le succès a explosé dès sa création, preuve que le sujet est brûlant et fédérateur.

Perles de charge mentale

Chaque jour, Coline Charpentier reposte sur @taspensea un témoignage envoyé par l'un·e (enfin, plutôt l'une) des 60 000 followers du compte. Mini-florilège :
La maison : « La charge mentale c'est quand j'explique à mon copain que pendant mon absence il doit arroser les plantes. Il me répond que je dois lui envoyer un texto pour lui rappeler. Il habite pourtant la même maison que moi. »
Le linge : « C'est l'entendre râler de ne plus avoir de jean propre. Aurait-il pensé à faire une machine ? »
L'administratif : «Quand je me suis occupée de tout concernant notre premier appartement : de l'administration, au déménagement, en passant par les papiers de la CAF. »
Les loisirs du couple : « Quand il veut qu'on prenne des vacances pour souffler, mais que je dois tout organiser et gérer » « Quand mon copain se tourne vers moi quand on lui demande ce qu'il fait le week-end prochain. Et qu'il ajoute en riant "Je demande à mon agenda", cela ne me fait pas rire. »
Les soins aux animaux : « C'est quand il dit à tout le monde que c'est SON chien, mais que c'est moi qui lui donne à manger, nettoie les bêtises et le sors tous les jours. »
Et même leur vie amoureuse : « Quand je prépare notre mariage. On l'a décidé à deux et puis... j'organise seule. »

La charge mentale touche tous les domaines. Jusqu'au travail professionnel du conjoint : « Quand mon mari souhaite ouvrir sa société, mais qu'il compte sur moi pour faire toutes les démarches administratives. »

On s'arrête là-dessus un instant ? C'est le vieux modèle qui persiste. Et l'homme ne pense pas à mal, bien sûr. L'argent de l'entreprise permettra d'acheter les pâtes qu'ils mangeront à deux. Il n'empêche qu'au final, la situation officielle sera la suivante : à lui le statut, à elle... rien. Le modèle ancien fonctionnait sur le postulat que les couples duraient toujours, quoi qu'il arrive. Ce n'est plus le cas aujourd'hui.

Tout ça ne se mesure pas par des statistiques. Mais ça crée forcément un encombrement psychologique étouffant, omniprésent, qui parasite tous les moments de loisir et de travail, comme le remarquait Titiou Lecoq : « Quand les femmes sont au travail, elles pensent aussi à la maison, elles pensent à signer l'autorisation de sortie du petit, à prévoir le week-end avec les potes, à rappeler machin – tandis que les hommes déconnectent très bien les deux. »

On ajoutera que la charge mentale ne concerne pas que l'unité familiale. Tandis que j'écris ce chapitre, je reçois ce message d'une auditrice : « Je suis récemment partie en vacances entre amis (deux hommes et deux femmes, pas de couples) et malgré le fait que mes amis se disent alliés de la cause féministe, dans les faits toute la charge mentale revenait à moi et mon amie (penser aux pique-niques, à la recharge des appareils électroniques... jusqu'à la localisation de leurs propres affaires personnelles). » Une preuve de plus que ce n'est pas un problème de couple, mais bien un problème de genre.

Et on terminera sur cette injustice supplémentaire : ces extraordinaires capacités des femmes à tout gérer, à penser à tout, à travailler deux fois plus que leur conjoint, sont bien souvent tournées en dérision. C'est le stéréotype de la femme débordée, qui ne sait plus où donner de la tête, toujours crevée, chiante, avec ses petites to-do list qui n'en finissent jamais, et son énorme sac à main qui contient de quoi parer à toute éventualité – bouteille d'eau, Doliprane, foulard, mouchoirs, stylos, tampon, agenda, livre, doudou des enfants – parce qu'il faut tout prévoir. On retrouve ici cette inversion des valeurs qu'on voyait déjà dans le monde du travail : la dévalorisation des compétences des femmes.

Un mot sur le travail émotionnel, qui peut aussi prendre la forme d'une exploitation. Je n'ai pas encore réalisé d'épisodes sur la charge émotionnelle, mais le sujet me paraît trop important pour ne rien en dire ici. Je vais donc exposer quelques hypothèses.

Le concept de travail émotionnel a été formulé dans les années 1980 par la sociologue américaine du travail Arlie Russell Hoschschild[85] : c'est le fait de toujours prendre en compte les besoins émotionnels de son entourage. Dans un cadre professionnel, cela fait par exemple partie des compétences essentielles demandées aux hôtesses d'accueil, infirmières, secrétaires... Ce travail continue aussi d'être fourni dans un cadre privé, et certaines féministes (dont je suis) considèrent donc qu'on peut également le compter dans la double journée de travail des femmes : c'est par exemple être disponible pour les conversations, donner de l'affection, avoir des petites attentions, se rappeler et organiser les anniversaires de tout le monde, envoyer des cartes de vœux, maintenir le lien avec des membres éloignés de la famille, etc. Souvent, ce sont les femmes qui décident de s'occuper de leur couple, de créer des souvenirs de la famille, de provoquer les discussions les plus intimes, ou de résoudre les problèmes quand ils surviennent – par exemple en allant consulter un·e thérapeute, en lisant des livres sur le sujet. Parfois ce qui est attendu d'elles, c'est aussi qu'elles nient leurs propres besoins : « La charge émotionnelle pour moi, c'est quand, à l'annonce de mon cancer, mon compagnon me dit que c'est trop dur émotionnellement pour lui. J'ai dû le rassurer alors que j'avais très peur », raconte ainsi une followeuse du compte @taspensea. Sur ce sujet, une étude terrifiante[86] montre que les femmes ont sept fois plus de chances d'être abandonnées par leur conjoint quand elles ont un cancer (21 % des cas) que les hommes par leur conjointe quand ils sont dans la même situation (3 % des cas).

Une hypothèse qui me semble très intéressante, avancée par plusieurs hommes proféministes[87], est celle selon laquelle les hommes exploiteraient le travail émotionnel des femmes, car les amitiés

85. Arlie Russell Hoschschild, *Le Prix des sentiments*, La Découverte, 2017 (paru aux États-Unis en 1983).
86. Collectif, « Gender Disparity in the Rate of Partner Abandonment in Patients With Serious Medical Illness », *Cancer*, 2009.
87. Notamment par Richard Schmitt et Brian Pronger, « Les hommes proféministes et leurs ami·es », *Infokiosques*, 1998.

masculines seraient sous-développées du point de vue de l'intimité. La masculinité va souvent de pair avec la rétention d'affection et d'informations émotionnelles importantes, le refus de la vulnérabilité, une réticence face aux conversations profondes et intimes. Entre eux les hommes, empêchés par les injonctions viriles, ne parleraient pas de ce qui les préoccupe vraiment, de leurs sentiments et, finalement, peu de sexualité (à part sur le mode la vantardise). Ils auraient donc besoin de leurs conjointes pour faire les psys, les coachs, les conseillères[88] (gratuitement)... Elles, en revanche, pourraient s'appuyer sur un large réseau d'amitiés profondes, grâce aux compétences qu'elles ont été encouragées à développer dès l'enfance – l'art de l'écoute, de la conversation, des confidences et de l'intimité. Comme être écouté, soutenu, compris sont des besoins humains fondamentaux que la plupart des hommes ne pourraient donc pas exprimer explicitement, toute la manœuvre consisterait pour eux à dissimuler ces demandes émotionnelles, et à faire en sorte que les femmes y répondent d'elles-mêmes (tout en faisant ensuite comme si c'était une faveur qu'ils leur accordaient...). Je me dis que la masculinité peut aussi consister en une certaine croyance en son droit au travail émotionnel de l'autre : le droit à l'affection, à l'attention des femmes, à leurs compliments, à leur admiration, sans obligation de réciprocité.

« La masculinité peut aussi consister en une croyance en son droit à l'attention des femmes, à leurs compliments, à leur admiration, sans obligation de réciprocité. »

Injustice supplémentaire, comme on l'a vu avec le travail domestique et la charge mentale, on voit souvent les femmes moquées ou dévalorisées pour ces compétences émotionnelles : on les jugera trop bavardes, trop sensibles, ou bien "prises de tête", à toujours vouloir discuter de sentiments ou de la relation amoureuse.

88. Melanie Hamlett, « Men Have No Friends and Women Wear The Burden », *Harpers Bazaar*, 2 mai 2019.

C'est nier que sans tout ce travail invisible, qui vise à "mettre de l'huile" dans les rouages des interactions sociales, la vie serait insupportable. Ne resterait qu'un monde brutal et froid, sans intimité, sans sollicitude. Il faut donc aussi revaloriser tout ce travail, arrêter de le qualifier de sentimentalisme, de bavardage, de sensiblerie. La solution n'est pas que les femmes arrêtent de fournir ce travail, mais qu'elles cessent de le fournir toutes seules. La sollicitude, la tendresse, l'attention sont des possibilités humaines que tout le monde gagnerait à développer. Comme le souligne la journaliste Alice Maruani :

> *« Le problème du travail émotionnel, ce n'est pas qu'il soit nul ou superflu, mais non rémunéré. Et quand on dit "payé", il s'agit d'argent, mais pas seulement. Il s'agit d'être écouté, entendu, remercié. Bref, il s'agit d'être payé par le travail émotionnel de celui d'en face. Les femmes ne sont pas des fées bleues, des êtres de lumière, christiques, altruistes, elles ont des besoins émotionnels. Leur don appelle un contre-don. Pour le dire autrement, une bonne part de cette charge invisible vient du fait que la personne en face est un paresseux du travail émotionnel.[89] »*

Les hommes devraient donc à mon avis reconnaître ce dont ils ont bénéficié toute leur vie : le soin et l'amour des femmes autour d'eux. C'est pour ça que les postures des artistes misanthropes ou des self-made-men me sont pénibles, avec leur cynisme ; comme s'ils avaient pu s'en sortir tout seuls, comme si qui que ce soit pouvait véritablement s'en sortir tout seul. Comme si nous n'avions pas eu, tous et toutes, au moins quand on était enfant, d'autres êtres humains (généralement des femmes) pour nous nourrir, nous soigner, nous aimer.

On peut parfois lire chez certaines féministes que la socialisation masculine inhiberait l'identification et l'expression des émotions, en général, et que tout irait mieux si les hommes apprenaient à montrer leur vulnérabilité. Cela me semble contestable : ce ne sont pas toutes les émotions qui sont censurées, et pas dans tous les contextes. Les hommes savent très bien exprimer certaines émotions : la joie et

89. Alice Maruani, « Les femmes sont bonnes », *Rue 89*, 25 décembre 2017.

la jubilation quand leur équipe de foot préférée gagne, leur ferveur révolutionnaire dans les mouvements politiques, ou leur rage contre les féministes par exemple. Ce que montre le sociologue Kevin Diter, invité du deuxième épisode, *L'amour, c'est pas pour les garçons*, c'est que le problème n'est pas qu'on apprendrait aux garçons à retenir leurs émotions et aux filles à les exprimer. C'est que les émotions qu'on leur demande d'exprimer ou de retenir ne sont pas les mêmes. Et que le niveau d'implication exigé dans les relations interpersonnelles n'est pas le même non plus. Ou autrement dit par le chercheur Léo Thiers-Vidal, militant proféministe :

> *« Apprendre, par exemple, à ne pas exprimer d'émotions ou à les exprimer sélectivement et à certains moments précis, renforce les hommes dans leur rapport aux femmes [...] Il faut envisager la socialisation masculine comme constituant différentes façons d'apprendre, souvent avec plaisir et jouissance, à se construire une subjectivité, une corporalité, une sexualité qui permettent à la fois de se servir des femmes et à n'en éprouver ni gêne ni remords.[90] »*

Bien. Que les hommes expriment leurs émotions – ou du moins, une palette plus large d'émotions, avec plus de nuances, voilà qui est forcément souhaitable. Mais est-ce la solution ? J'en doute. Car comme l'analyse très finement l'anthropologue Mélanie Gourarier : « L'expression des émotions – qui n'implique pas nécessairement de prêter attention à celles d'autrui – permettrait alors de bénéficier d'un regain de sollicitude de la part de la partenaire. Les femmes en sortiraient encore perdantes.[91] »

On peut encore ajouter qu'abolir cette exploitation émotionnelle demande un énorme travail sur les représentations, et aussi, collectivement, sur notre niveau d'exigence... ou de complaisance. Peut-être que les femmes, à qui on reproche sans cesse d'être trop exigeantes, ne le sont en réalité pas assez dans leurs relations amoureuses. Dans ma série préférée, *Crazy Ex-Girlfriend*, Rachel Bloom se moque dans l'une de ses chansons grandioses (*Love Kernels*) de cette tendance qu'ont certaines femmes à se contenter de toutes petites miettes

90. Léo Thiers-Vidal, « De la masculinité à l'anti-masculinisme : penser les rapports sociaux de sexe à partir d'une position sociale oppressive », *Nouvelles Questions féministes*, 2002.
91. Interviewée dans « Peut-on échapper à la domination masculine ? », hors-série de *L'Obs*, 2019.

d'affection de la part de leurs *love interest* : celui qu'elle convoite lui dit des phrases aussi banales que *J'aime bien l'odeur de ton appartement*, ou *Ça te dit un ciné ? Je devais y aller avec mes potes mais ils ont annulé*, et elle les prend comme des preuves d'amour. Comme l'explique la chercheuse Moira Weigel, « Nous donnons notre temps et notre énergie aux autres de manière aussi automatique qu'une vache broute ou que l'herbe pousse. Notre attention est une ressource naturelle... De nombreuses femmes finissent même par croire qu'il est dans leur nature de faire n'importe quoi par amour.[92] »

C'est en ce sens et pour toutes ces raisons que j'analyse la charge émotionnelle comme une autre forme d'exploitation – et que les femmes soient socialement conditionnées à s'y soumettre n'y change rien (comme on le verra avec la philosophe Manon Garcia).

Résumons donc. Les tâches ménagères ont été "naturalisées" – au sens où on entretient volontiers l'idée qu'elles sont naturellement féminines – tout comme les émotions. Les hommes, qui *de facto* bénéficient de tout ce travail gratuit, n'ont pas d'intérêt objectif à ce que la situation change. Et de nombreuses tentatives de résolution de la question à un niveau individuel se soldent par un échec. On pourra noter néanmoins que cette répartition des tâches ne dépend pas que de décisions individuelles. Les entreprises peuvent favoriser de meilleures conditions de conciliation de la vie familiale et privée avec la vie professionnelle. Les politiques publiques peuvent aussi alléger l'exploitation domestique : en ouvrant des crèches, en imposant un congé paternité obligatoire et rémunéré, en diminuant le temps de travail obligatoire, etc.

92. Citée et traduite par Maïa Mazaurette dans « La charge mentale des femmes nuit gravement à la sexualité », *Le Monde*, 11 juin 2017.

Pour un congé paternité

En Suède, neuf pères sur dix prennent en moyenne trois à quatre mois de congé paternité. Dans les pays de l'OCDE, seul un père sur cinq prend un congé (même de quelques jours). Depuis 1995, la Suède réserve un mois de congé parental aux pères, sans possibilité de le transférer à la mère. Aujourd'hui il est de trois mois. S'il n'est pas obligatoire, ce congé n'est pas pris. En Espagne, le parent autre que la mère biologique – le père, mais aussi la compagne de la mère dans les couples lesbiens – bénéficie depuis 2009 de huit semaines de congé paternité, bientôt allongés à seize (comme un congé maternité). Pendant ce temps, en France, le congé paternité est toujours de 11 jours. Pour le collectif Pour une parentalité féministe, l'allongement de ce congé est une « absolue nécessité », car « les congés réservés aux pères entraînent une hausse de leur participation aux activités parentales après la période de congé elle-même ».

(Ir)responsabilités reproductives : masculinité, contraception et grossesse

Je le reconnais : parler de contraception et de grossesse dans une partie intitulée "exploitation" peut sembler exagéré. Et pourtant !

Au niveau collectif, c'est parfaitement logique. Les féministes marxistes ont bien montré que le fait de faire des enfants était indispensable au capitalisme. En gros : le travailleur produit les richesses, mais qui produit le travailleur ?

Mais ça l'est aussi à un niveau individuel : car en fin de compte, l'irresponsabilité de la majorité des hommes quant aux tâches ménagères se retrouve aussi quant à la contraception : dans l'immense majorité des cas, c'est la femme qui s'en charge, et c'est elle qui en subit les désagréments.

LA CONTRACEPTION MASCULINE EXISTE (LE SAVIEZ-VOUS ?)

A priori, éviter une grossesse quand on n'en a pas envie devrait concerner tout autant les hommes que les femmes engagé·es dans un rapport hétérosexuel. Pourtant, ce sont les femmes qui portent encore souvent toutes seules la charge de la contraception. En France, parmi les femmes exposées au risque de grossesse, la majorité (70 %) ont recours à des méthodes féminines (41 % prennent la pilule, 23 % portent un stérilet) contre 15,5 % ayant recours au préservatif [93].

Or, comme le réclamait une tribune récente, publiée dans *Libération* : « Marre de souffrir pour notre contraception ![94] » : les hommes pourraient aussi s'impliquer dans le coût et le suivi des méthodes de contraception. C'est un impensé qu'on ne questionne pas : comme si cette tâche incombait naturellement et entièrement aux femmes parce que ce sont elles qui tombent enceintes. Pourtant, ce point de vue n'est pas du tout universel, comme le montre l'exemple de l'Angleterre, sur lequel a travaillé la sociologue Cécile Ventola, autrice d'une thèse qui compare les approches françaises et anglaises de la contraception, et invitée de l'épisode 20, *Contraception, au tour des hommes*.

En Angleterre, le préservatif, mais surtout la vasectomie (stérilisation masculine) sont très largement utilisés. La vasectomie consiste, en sectionnant les canaux déférents, à empêcher les spermatozoïdes produits dans les testicules de rejoindre le liquide séminal (le sperme). C'est une opération bénigne, effectuée sans anesthésie générale et peu douloureuse. Cette méthode est cinquante fois plus pratiquée en Angleterre qu'en France. 15 à 20 % des hommes sont vasectomisés en Angleterre (les chiffres sont comparables aux Pays-Bas, au Canada et en Allemagne). Pourquoi ? Cécile Ventola y voit trois raisons principales. Tout d'abord, en Angleterre comme en France, nous utilisons les méthodes que les médecins prescrivent. En Angleterre, pour parler de contraception avec leurs patient·es, les médecins utilisent des dépliants qui montrent l'ensemble des méthodes contraceptives, féminines et masculines. Ainsi, même si l'adolescente de seize ans n'est pas concernée par la vasectomie, elle est au moins au courant de son existence. En France, Cécile Ventola qualifie la relation des médecins avec leurs patient·es de plus « paterna-

93. Rapport de la Haute Autorité de santé, *État des lieux des pratiques contraceptives et des freins à l'accès et au choix d'une contraception adaptée*, avril 2013
94. Tribune publiée dans *Libération* le 2 avril 2019, puis une pétition signée par 25 000 personnes.

liste » : c'est le médecin qui choisit la méthode qui lui semble la mieux adaptée, sans proposer l'ensemble du panel. Ce qui donne, typiquement : le préservatif puis la pilule au début de la vie sexuelle et le stérilet après le premier enfant (alors qu'on peut très bien le porter même quand on n'a pas eu d'enfant). Un "choix" imposé, qui peut avoir de nombreux effets délétères sur les femmes, comme le dénonce encore la tribune « Marre de souffrir pour notre contraception » :

> *« L'efficacité du contraceptif semble systématiquement passer avant le confort de l'utilisatrice, comme si celui-ci passait au second plan. Trop de femmes sont peu ou pas informées des effets indésirables (bénins ou graves) de leurs contraceptifs et les découvrent à l'usage. Trop de médecins prescrivent la pilule de manière systématique sans présenter suffisamment aux patientes les autres contraceptions et/ou en discréditant les contraceptions sans effets secondaires qui existent déjà (préservatifs, diaphragmes couplés ou non aux méthodes modernes d'observation du cycle) ou en balayant d'un revers de main les méthodes masculines. »*

Cécile Ventola a constaté par ailleurs « un vrai blocage dans le milieu médical par rapport à l'idée même d'une responsabilité contraceptive portée par les hommes » : souvent, la contraception n'est donc jamais abordée avec les patients masculins.

Quant aux autres raisons, elles sont culturelles et politiques : la France a mené des politiques natalistes, notamment après-guerre, c'est-à-dire qui visaient à encourager les naissances plutôt qu'à les limiter, au contraire de l'Angleterre qui a encouragé les méthodes de stérilisation dès les années 1970, notamment dans le dessein tout à fait politique de contrôler les naissances des classes populaires. Des traces de cette mentalité, où il était difficilement concevable en France de choisir de ne pas se reproduire, perdurent encore aujourd'hui : il faut respecter un délai de réflexion de quatre mois entre la première consultation pour être stérilisé·e et la réalisation de l'acte chirurgical – c'est le plus long délai imposé par la loi française pour une opération (pour une intervention de chirurgie esthétique, c'est quinze jours). De même, en France, il existait jusqu'à récemment un délai de réflexion pour l'avortement, qui n'a jamais existé en Angleterre. Enfin, en France, l'influence de la culture catholique a aussi joué : l'Église catholique continue encore aujourd'hui à s'opposer à la contraception et à l'avortement, tandis que l'Église anglicane s'est positionnée en faveur de la contraception dès les années 1930 et en faveur de l'avortement dans les années 1960.

Méthodes de contraception masculine

Les préservatifs : tout le monde les connaît, mais encore faut-il savoir bien les choisir et bien les utiliser... Voici les conseils d'un expert, Marc Pointel, sexologue et propriétaire d'une boutique spécialisée à Paris, Le Roi de la capote :

1. Choisir un préservatif adapté à la taille et à la forme du pénis. Il existe des préservatifs de toutes sortes, adaptés à toutes les longueurs et à toutes les largeurs. Un préservatif trop grand va glisser, un trop long va comprimer la base du pénis, un trop étroit va comprimer toute la verge.
2. S'entraîner, puisque l'une des peurs répandues est de perdre son érection au moment de mettre le préservatif.
3. Utiliser du lubrifiant. Aucun préservatif n'est censé être utilisé sans lubrifiant.

La méthode thermique permet, grâce à un slip spécial, d'arrêter la production de spermatozoïdes, la spermatogenèse, qui ne peut s'effectuer qu'à une température légèrement inférieure à l'ensemble du corps (c'est pour ça que les testicules sont à l'extérieur du corps, naturellement à une température plus basse, autour de 35 degrés). L'idée est donc d'augmenter la température des testicules, en les positionnant suffisamment proches du corps pour que leur température soit plus élevée. Il faut attendre trois mois pour être sûr que c'est efficace.

Les injections hormonales intramusculaires une fois par semaine. En maintenant un niveau élevé d'un dérivé de testostérone, on induit en permanence l'arrêt de la production de spermatozoïdes. Seuls deux médecins les prescrivent en France.

La vasectomie : peut être théoriquement réversible. Elle est maintenant remboursée par la Sécurité sociale, et elle s'accompagne souvent d'une procédure de conservation du sperme (par congélation), pour les hommes qui souhaiteraient concevoir après l'opération.

On peut donc penser avec Cécile Ventola que pour pousser les hommes à prendre leurs responsabilités en matière de contraception, il faudrait tout simplement imposer, comme en Angleterre, que toutes les méthodes soient systématiquement proposées par les médecins. Et qu'elles soient enseignées à l'école, comme c'est déjà censé être le cas, avec trois séances d'éducation à la vie affective et sexuelle par an... sauf qu'un tiers des établissements scolaires ne dispense aucune éducation sexuelle[95]. Et enfin, que de vrais budgets soient consacrés à la recherche et au développement de nouvelles méthodes de contraception masculines : des pistes aussi prometteuses que la pilule masculine ou le Vasagel (un gel injecté dans les canaux déférents, qui serait efficace pour plusieurs années) n'arrivent pas à être développées faute de moyens. Je tiens à saluer pour finir le travail des militants d'Ardecom (Association pour la recherche et le développement de la contraception masculine), qui depuis plus de trente ans forment des médecins et toustes celleux qui le veulent aux méthodes de contraception masculine.

QUAND L'ENFANT VIENT : LES HOMMES FACE À UNE GROSSESSE NON DÉSIRÉE

Invitée de l'épisode 5, Coline Grando a réalisé un documentaire, *La Place de l'homme*, où elle se pose la question de la place de l'homme face à une grossesse non prévue (quelle que soit la manière dont elle se termine par ailleurs : naissance, fausse couche ou avortement). Un documentaire révélateur de certaines attitudes masculines face à la contraception et à la grossesse. Ainsi, Benjamin, 24 ans, explique que quand sa compagne lui a appris sa grossesse, il était « en état de choc » : « C'était inenvisageable que ça arrive un jour ! Et donc j'étais hyper heureux et en même temps je savais pas du tout comment gérer la chose. » Et il n'est pas le seul. Ces hommes tombent des nues ; ils ont des rapports hétérosexuels depuis des années, éjaculent dans le vagin des femmes, mais ne font pas directement le lien avec le risque d'une grossesse. Alors que les filles sont socialisées très tôt à envisager une grossesse.

Coline Grando défend évidemment le droit total des femmes à décider toutes seules si elles veulent ou non un avortement. Ce n'est plus à ce moment-là que doit intervenir le choix de l'homme, car, même si elle

95. Haut Conseil à l'égalité entre les hommes et les femmes, Rapport relatif à l'éducation à la sexualité, juin 2016.

reconnaît que « C'est très violent pour un homme de devenir père alors qu'il n'a pas décidé, les hommes devraient prendre conscience que le moment du choix, pour eux, c'est le rapport sexuel ; et il faut bien qu'ils l'aient en tête au moment où ils font l'amour à une femme sans qu'il y ait de protection, ou sans qu'ils se soient préoccupés de la contraception. » Une analyse évidente, et qui montre bien l'absurdité de l'expression populaire pour désigner les paternités non désirées : "Elle lui a fait un enfant dans le dos"... Comme si c'était possible ! À moins d'imaginer que la femme aille récupérer le préservatif usagé dans la poubelle pour s'injecter le sperme[96] ? Dans la suite du documentaire, un homme un peu plus âgé va expliquer qu'il a un peu honte de le dire, mais que face à cette grossesse non désirée, il a envisagé de fuir. « C'est la solution qui a été l'usage masculin pendant des siècles, note-t-il ; nous avions ce grand privilège autrefois, comme ce qu'a fait Jean-Jacques Rousseau. »

Si l'irresponsabilité masculine individuelle quant à la contraception et à la grossesse est ainsi culturellement encouragée, certains se sentent pourtant des plus légitimes quand il s'agit de collectivement restreindre les droits des femmes à la contraception et à l'avortement... et de décider quelles femmes auront ou pas le droit de se reproduire.

IRRESPONSABILITÉ DOMESTIQUE, DOMINATION POLITIQUE

Il y aurait tant à dire sur la façon dont les hommes, depuis si longtemps, s'arrogent le droit de décider pour le corps des femmes. Rappelons qu'aujourd'hui encore ces droits sont loin d'être garantis partout dans le monde, et qu'ils restent extrêmement fragiles.

Sur l'avortement, en 2019 : 28 États étasuniens ont restreint les droits à l'avortement, et le président du pays a décidé de supprimer les subventions versées aux centres de santé qui pratiquaient l'avortement ; en Europe, trois États interdisent toujours aux femmes de mettre un terme à leur grossesse (Malte, Andorre, Monaco), et dans de nombreux autres, ce droit est sans arrêt menacé, comme en Pologne. Par ailleurs, il ne suffit pas qu'avorter ou se contracepter soit autorisé en théorie, il faut aussi que ça soit possible en pratique,

96. Possibilité à laquelle pense apparemment le personnage masculin du film suédois *The Square*, qui empêche sa partenaire d'un soir de s'emparer du préservatif pour aller le jeter lui-même. Film de Ruben Östlund, Palme d'or 2017 à Cannes.

et donc avoir accès à l'information, à des lieux où avorter sur tout le territoire, etc.

De même, des politiques publiques ont toujours été menées pour déterminer quelles étaient les catégories de femmes autorisées ou non à se reproduire. Par exemple, comme l'a bien montré l'historienne Françoise Vergès, dans la France des années 1970, tandis que l'État interdisait et criminalisait l'avortement et la contraception en métropole, il les encourageait dans les départements d'outre-mer. À la Réunion, des dizaines de milliers de femmes ont ainsi été avortées ou stérilisées de force, et des campagnes massives pour le contrôle des naissances et la contraception étaient organisées par les pouvoirs publics[97]. Et aujourd'hui ? À l'heure où j'écris ces lignes, la loi française interdit toujours aux femmes lesbiennes et aux femmes célibataires d'avoir accès à la procréation médicalement assistée.

Je ne vois pas tout en noir. Ou en rouge. Nous ne sommes pas dans *La Servante écarlate*[98] où le corps des femmes est entièrement au service des hommes et où l'ordre est régi par l'armée. Mais il y a tant à faire encore...

J'ajouterai que cette domination des hommes sur le corps des femmes – et l'exploitation domestique en général – se croise avec d'autres mécanismes d'exploitation (domination des pays du Nord sur les pays du Sud, des plus riches sur les classes populaires...). Mais aussi que ce système s'appuie également, en partie, sur la soumission féminine. C'est ce qui explique sa pérennité, et la difficulté d'en sortir.

POUR ALLER PLUS LOIN

- *L'Ennemi principal*, de Christine Delphy (éditions Syllepse)
- *Caliban et la sorcière*, de Silvia Federici (Entremonde)
- *Les Sentiments du Prince Charles*, de Liv Strömquist (Rackham)

97. Françoise Vergès, *Le Ventre des femmes – Capitalisme, racialisation, féminisme*, Albin Michel, 2017.
98. Dystopie de Margaret Atwood (1985), récemment adaptée dans une série à grand succès, où les femmes sont réduites en esclavage, pour servir de reproductrices, de domestiques, ou pour manipuler des déchets toxiques.

Ces questions sont au cœur du travail de la philosophe Manon Garcia dans son ouvrage On ne naît pas soumise, on le devient. *C'est ce qu'elle a détaillé de manière limpide dans l'épisode 30,* Ce que la soumission féminine fait aux hommes, *dont vous pouvez lire quelques extraits choisis dans les pages qui suivent.*

Ce que la soumission féminin fait aux hommes

Manon Garcia est agrégée de philosophie. Elle est chercheuse à l'université de Harvard et enseignera bientôt la philosophie à l'université de Yale aux États-Unis. De sa thèse sur la soumission féminine, elle a tiré en 2018 un livre : *On ne naît pas soumise, on le devient.*

La rencontre avec Manon Garcia a été aussi intense qu'on peut, je crois, le sentir dans le podcast. Manon dégage une force et une assurance impressionnantes. Elle est la preuve qu'on peut faire de la philosophie à très haut niveau sur des sujets qui nous parlent à toustes. Voilà peut-être pourquoi, de tous les épisodes, celui-ci a été l'un des plus partagés et commentés. Cette conversation me semble pleinement aller dans le sens de ce que préconise Raewyn Connell, quand elle écrit que « la recherche sur la masculinité hégémonique doit maintenant donner beaucoup plus d'importance aux pratiques des femmes et aux interactions historiques entre féminité et masculinité ». Masculinités et féminités sont en constante interaction, et les pratiques des femmes contribuent aussi à la production des masculinités contemporaines : c'est ce que nous avons commencé à explorer dans cet épisode.

Première question toute simple, Manon Garcia : qu'est-ce que la soumission féminine ?
Quand on parle de domination, on mélange deux choses : la domination comme une relation, et la domination comme une action. Entre deux agents A et B, il peut y avoir une relation de domination – mettons que A domine B. Mais ce n'est pas tout. En réalité, il se passe quelque chose pour B dans cette relation. Et B, en retour, agit par rapport à A. C'est cela, la soumission : ce que B (soumis) fait à A dans une relation de domination. On pense toujours à la domination masculine en termes de ce que les hommes font aux femmes,

mais on pense rarement à ce que cela entraîne pour les femmes de vivre dans le contexte de la domination masculine, et ce que font les femmes dans ce contexte. Être soumise, ce n'est pas être passive. Faire les courses, passer l'aspirateur, se faire belle, s'épiler, c'est faire des choses. On peut même imaginer que des relations de domination soient créées par la soumission. Imaginer des situations où les hommes n'ont pas réellement envie de dominer leur compagne, mais où elle-même se soumet : cela crée de fait un rapport de domination.

C'est un sujet qui nous met hyper mal à l'aise, les féministes. On préfère ne pas trop penser à la soumission parce qu'on n'a pas envie de blâmer les victimes. Et puis réfléchir à sa propre soumission, ce n'est pas simple. Je nous regarde, là, maquillées, les ongles faits... par tout un tas de choses, on participe à la domination masculine en fait, est-ce qu'on en est complices ?

C'est en partie pour ça que les féministes ont peu parlé de la soumission jusqu'à maintenant. Jusqu'ici, le sujet a surtout été envisagé par des auteurs qui voulaient naturaliser l'infériorité des femmes. Le discours, en gros, est le suivant : « Regardez, en fait elles sont de nature soumise. Être une femme, c'est être soumise. » C'est ce qu'on retrouve dans la Lettre de Paul aux Éphésiens, dans certaines sourates du Coran, chez Rousseau, chez Hegel...

Le contexte a changé. Pour pouvoir réellement poser la question de la soumission, il faut l'égalité des droits. On ne demande pas à un esclave s'il est soumis. Demander à une femme qui n'a pas le droit d'avoir de compte en banque ni de conduire une voiture si elle est soumise, ce n'est pas juste.

Parce que dans le concept même de soumission, il y a l'idée de ce que les anglophones appellent *agency*, l'agentivité. En fait, quand on parle de soumission on sous-entend que la personne est un peu d'accord ; c'est ce qui en fait un scandale moral. Je précise donc que j'ai délibérément restreint mon analyse à ce qu'on peut appeler, au sens large, le monde occidental. Je tenais absolument à éviter les biais culturalistes. Je constate tout de même que depuis que j'ai commencé à travailler sur le sujet, on me dit souvent : « Ah, donc tu travailles sur les femmes voilées et les femmes au foyer. » Mais non. Je travaille sur toutes les femmes – moi y compris. La soumission est absolument répandue. Dans les faits, beaucoup de femmes sont soumises par certains aspects et libres par d'autres. La taille 36, instagrammer son repas, le régime pour rentrer dans le maillot, le *beach body* : tout ça, c'est de la soumission.

Est-ce que ça veut dire que les femmes choisissent d'être soumises ?

C'est là que c'est compliqué... Moi, je veux montrer qu'il y a un choix qui se fait. Et cela, c'est féministe. Parce que le féminisme, ce n'est pas seulement lutter contre l'oppression, c'est aussi respecter les actions des femmes, sans les juger, et sans penser qu'elles ne se rendent pas compte de ce qui se passe. Je ne suis pas complètement convaincue par le féminisme radical qui pense parfois trop en termes de structure. Dire : « Les femmes sont colonisées intérieurement, un point c'est tout, et elles ne peuvent rien faire », je ne suis pas d'accord. Je veux montrer qu'il y a des choix qui se font, et des choix conscients. Mais que choisir d'être soumise ou de ne pas être soumise, ce n'est pas pareil que de choisir du thé ou du café. Parce

que choisir de ne pas être soumise, c'est choisir d'aller contre ce qui nous est prescrit. Et là, le coût social est énorme.
[...] Et le prix de la liberté, bien sûr, est beaucoup plus grand pour les femmes que pour les hommes. Les hommes sont programmés pour la liberté. Leur logiciel, c'est astronaute, pompier ou aventurier. Le logiciel féminin, c'est la sphère privée, enfants et mari. Évidemment, si on veut être astronaute quand on est programmée pour la sphère privée, c'est beaucoup plus dur.

Une philosophe a tout de même réfléchi à ce sujet en profondeur, dans un livre génial, et c'est un bonheur de le redécouvrir dans votre essai : c'est *Le Deuxième Sexe*, de Simone de Beauvoir (qu'on réduit trop souvent en France à « la compagne de Sartre », alors qu'elle est d'abord une immense philosophe).
Je trouve fou qu'on n'ait pas compris que *Le Deuxième Sexe* était un texte de philosophie... Quand elle écrit : « On ne naît pas femme, on le devient », la féminité qu'elle étudie, c'est la soumission. La force de Beauvoir, c'est de dire qu'il n'existe pas d'essence féminine, mais qu'en même temps il est vain de nier les différences entre les femmes et les hommes, parce qu'il suffit de marcher dans la rue pour qu'elles nous sautent à la figure. Il faut admettre ça, et ensuite expliquer ce que ça veut dire de voir qu'on est un homme ou une femme, et comment ça se construit. On ne peut pas faire comme si on n'était pas juif, on ne peut pas faire comme si on n'était pas noir, on ne peut pas faire comme si on n'était pas une femme. Ça, c'est de la mauvaise foi.

Parlons de la soumission amoureuse – et de ce qu'elle fait aux femmes, mais aussi aux hommes. Mais peut-être faut-il d'abord faire un rapide point conceptuel et dire que l'amour, c'est comme le féminin et le masculin : il n'y a pas d'essence de l'amour. C'est un sentiment qui est produit dans une certaine situation historique, économique, sociale, qui répond à des codes, etc. Là, en l'état actuel des choses, il n'y a pas deux individus parfaitement libres de s'aimer. Dans les rapports hétérosexuels, la soumission féminine implique une soumission amoureuse.
C'est cela. Pour moi, parler de la soumission féminine n'excuse pas du tout les hommes. Ce qui m'intéresse dans la soumission féminine, c'est comment elle constitue une norme sociale. Et de même que les normes des masculinités ont une influence énorme sur la façon dont vivent les femmes, les normes de la féminité ont une grande influence sur la façon dont les hommes vivent. Et l'une des grandes normes de la féminité, c'est que la valeur des femmes est indexée sur l'amour que leur portent les hommes.
Voyez, par exemple, le contraste entre Narcisse et la belle-mère de Blanche-Neige. Narcisse se regarde dans l'eau et il tombe amoureux de lui-même ; tout se passe entre lui et son reflet. C'est très différent pour la belle-mère de Blanche-Neige. Pour elle, le miroir correspond au regard de l'homme qui dit : « Voilà tu es la plus belle, tu es celle qui a le plus de valeur dans le royaume parce que les hommes te trouvent belle. » Après quoi elle flippe à mort parce que Blanche-Neige lui pique la place. Voilà qui montre bien que les femmes sont élevées à penser que ce qui leur donne de la valeur, c'est la façon dont les hommes les

perçoivent. De façon générale, « aimer » ne veut pas dire la même chose pour les hommes et pour les femmes. Voyez Pénélope, qui attend Ulysse pendant vingt ans. Pendant ce temps, Ulysse fait la guerre, il fait sa vie, et il pense à Pénélope quand il revient, parce qu'il est vraiment amoureux… et parce qu'il sait qu'elle l'attend. En un sens, pour lui, cet amour de Pénélope est extrêmement gratifiant. Mais cet amour est aussi une démission… Ce que montre Beauvoir, et qui me paraît fondamental, c'est que les femmes se soumettent à l'homme d'une manière, au fond, très embarrassante pour les femmes elles-mêmes, mais aussi pour les hommes. Parce que la femme soumise attend beaucoup de l'homme, et qu'elle lui donne *in fine* la mission de justifier sa vie. Une position qui lui nuit d'ailleurs, parce qu'en fait une femme qui démissionne pour son homme se met dans la position d'être quittée…

Et qu'est-ce que ça fait aux hommes, alors ?
Ce que ça fait aux hommes, c'est qu'ils sont coincés dans des histoires d'amour où ils se retrouvent l'alpha et l'oméga de la femme qui partage leur vie, en face d'eux. Ils ne l'ont pas forcément voulu, mais c'est le programme… Par sa soumission, la femme se décharge sur l'homme du poids de trouver un sens à sa vie et elle s'arroge sur lui un pouvoir qui est presque aussi grand que le pouvoir que l'homme a sur elle : celui de devoir être à la hauteur de l'immensité du sacrifice qui lui est offert. Le vrai pouvoir de la soumission, c'est de dire : « J'ai tout abandonné pour toi, maintenant comment es-tu à la hauteur de ça ? » Et je suis sûre qu'il y a plein d'hommes qui n'ont pas du tout envie que les femmes abandonnent tout pour eux. Phénomène intéressant : on apprend aux femmes à se constituer elles-mêmes comme des objets sexuels, mais nombre d'hommes ont envie d'avoir des compagnes plutôt que des bimbos.

Ça me fait penser à de nombreux messages que j'ai reçus d'auditeurs qui m'expliquent qu'ils veulent bien ne pas être des machos, mais que dans le jeu de la séduction et des relations hommes-femmes, ça ne marche pas du tout. Je pense notamment à Orpheo, qui explique qu'il est aujourd'hui obligé de passer par des codes qui ne lui plaisent pas forcément parce que, sans cela, dit-il, il n'arrive pas à attirer l'attention des filles. Il écrit : « Mon but serait d'être moins macho, plus sain, plus clean, plus soft, mais j'ai l'impression qu'il n'y a que la bonne vieille méthode qui marche. Si j'essaie d'abord d'être sympa et gentleman, ça ne marche pas et c'est mon pote le gros bourrin qui réussit. » On peut donc dire qu'à travers leurs goûts, leurs attentes, leurs attitudes, les femmes jouent un rôle dans la constitution de ce qui est valorisé ou non chez les hommes.
Passionnant sujet ! Le plan sexuel est celui où il est sans doute le plus difficile de lutter contre les normes sociales. Nous avons intégré des représentations du mec fort : quand on pense rapport sexuel, on pense missionnaire ou levrette, et non à des trucs qui font jouir les femmes – le clitoris. Cela met les hommes dans une situation difficile où on n'arrive pas à penser la séduction autrement qu'à travers un prisme machiste, sur un mode chasseur-proie. En fait, je pense que les femmes sont éduquées à se penser comme des proies, et elles sont très déstabilisées quand on ne les traite pas comme des proies. Se comporter autrement ne leur paraît pas du tout sexy – et on touche là

à quelque chose de très profond : c'est que les femmes souvent ont des désirs qui vont contre leur bien-être. Nous avons toutes des amies qui aiment vraiment des salauds... Et je pense qu'il y a un côté rassurant quand un mec se comporte comme un gros macho misogyne. On se dit que c'est un peu l'ordre des choses.

J'ai l'impression qu'on sous-estime le confort que procure le fait de bien se conformer à son rôle de genre.

Le grand tabou de la soumission, c'est les délices qu'elle peut procurer. Repasser la chemise de son mari ou être une bonne fille qui se fait attacher au lit et qui se conforme exactement aux images qu'on a héritées du porno : tout cela, c'est rassurant. On se demande souvent pourquoi même les filles les plus indépendantes peuvent avoir des fantasmes hyper machos au lit. Je pense que c'est parce que le lit est l'un des endroits où elles peuvent se laisser aller aux normes sociales qu'on nous impose. Parce que le désir est ce qu'il y a de plus difficile à modifier. Ce qui me frappe, par exemple, quand je défends l'idée du consentement explicité, c'est que ce sont des copines qui me disent : « Non mais jamais tu ne vas trouver ça sexy, un mec qui te demande avant de te plaquer contre un mur ! » Alors que oui, ça peut l'être ! Je me souviens d'une scène dans *Grey's Anatomy*, dans un escalier, où le mec demande : « Tu as envie que je t'embrasse là ? Parce que moi j'ai envie de t'embrasser » ; la fille dit : « Bah ouais, en fait », et c'est torride ! Dans un couple, on peut discuter de ces choses à l'avance – un peu sur le mode du BDSM avec des safe words, du genre : « Si je te dis ça, c'est qu'en réalité je ne suis vraiment pas d'humeur, mais tu peux tenter des trucs. » Mais ce n'est valable que pour des relations déjà établies. Le fond du problème, c'est que les normes de la drague sont des normes de pouvoir et de violence. Je pense qu'il est très difficile de concevoir une masculinité qui ne soit pas fondée sur la soumission des femmes et sur le fait qu'en retour les femmes génèrent une certaine réaction des hommes.

Maintenant qu'on a dit tout ça, concrètement, que peuvent faire les hommes ? Comment peuvent-ils soutenir les femmes et les aider à se sentir moins obligées d'être soumises ?

C'est la grande question. Être un vrai allié, c'est comprendre la pression qu'ont les femmes. C'est aussi les aider à se déculpabiliser et à être moins soumises, en disant par exemple : « Tu vois, là tu te sens obligée de faire la vaisselle alors que je peux m'en occuper, mais on peut peut-être la faire plus tard. » Ça peut être aussi mettre la barre moins haut pour les femmes – parce que ça met quand même la barre très très haut, de devoir être libres et de ne jamais pouvoir être soumises sans se sentir coupables. Notre société nous demande tellement d'être soumises qu'on ne peut pas tout le temps aller contre les injonctions. Être un homme allié, c'est aussi comprendre la pesanteur de ce qu'il y a sur les épaules des femmes. Dire « Ah, tu es féministe mais tu mets quand même du vernis à ongles, c'est bizarre », on peut éviter...

VIOLENCE

« Il est clair que démêler la sexualité
de l'agression – de la violence ou de la menace
de violence – va prendre très longtemps.
Et le processus rencontrera une vive résistance
car il s'en prend à l'essence même
de la domination masculine et de la place
centrale de l'homme. »

Gloria Steinem, « Érotisme et pornographie »,
Ms. Magazine, 1977

"You don't own me
I'm not just one of your many toys
I'm free and I love to be free
To live my life the way I want"

Lesley Gore, *You don't own me*, 1963

La violence ne sort pas de nulle part ; c'est tout ce qu'on a vu, la masculinité comme construction, comme privilège et comme exploitation, qui la rend possible. Cette question centrale m'obsède : comment expliquer, comment comprendre, et donc comment (peut-être un jour) empêcher les violences de genre ? Les violences de genre sont des violences verbales, physiques, psychologiques, publiques et privées issues des rapports de domination des hommes sur les femmes ; mais aussi des violences commises sur des hommes parce qu'ils sont pensés comme inférieurs sur le plan de la virilité : les violences homophobes et transphobes sont des violences de genre.

Pourquoi le viol, les violences conjugales, les meurtres, les violences transphobes et homophobes, sont-elles si répandues, et dans leur écrasante majorité, commises par des hommes ? Qu'est-ce qui, dans notre culture, dans la structure de nos rapports de pouvoir, rend possible ces violences ?

Je ne prétends pas pouvoir répondre de manière définitive à ces questions, mais je suis persuadée que plus on s'attachera à mettre des chiffres derrière ces réalités, à les décrire précisément et à déconstruire autant qu'on le peut les mécanismes qui y conduisent ou qui, dans notre société, les favorisent, mieux on pourra lutter contre ces violences. C'est l'un des objectifs que je me suis donnés avec *Les Couilles sur la table*, et c'est ce que je vais tenter de faire dans les pages qui suivent.

VIOLENCES CONJUGALES

Le premier lieu où s'exercent ces violences de genre, c'est le couple et la famille. La première cause de mortalité et d'invalidité des jeunes Européennes (de 16 à 44 ans) est la violence intrafamiliale, avant les accidents de la route et le cancer. Parce que ces violences surviennent majoritairement dans un cadre privé, on en a fait une affaire privée. Ainsi, le viol n'a longtemps pas été envisagé comme un crime contre la personne de la femme qui le subissait, mais comme une atteinte à l'honneur de l'homme qui en était "propriétaire" : mari, père, maître. Comme une usurpation de sa propriété. C'est pour cela que nous avons pendant des siècles considéré comme impossible qu'une esclave soit violée par son maître, ou une épouse par son mari. En France, ça ne fait même pas trente ans que le viol conjugal est condamné par la loi (ce n'est devenu une circonstance aggravante qu'en 2006).

Plus de 225 000 femmes chaque année sont victimes de violences conjugales de la part de leur conjoint – partout en France, et dans tous les milieux sociaux. La question, du point de vue de l'étude des masculinités, est donc la suivante : pourquoi des centaines de milliers d'hommes frappent, martyrisent, anéantissent des femmes qu'ils disent aimer ? Pourquoi, parfois, vont-ils jusqu'à les tuer ? Au moment où j'écris ce paragraphe, le 31 juillet 2019, 81 femmes en France ont été tuées par leur compagnon ou ex-compagnon depuis le début de l'année. Cette 81e victime s'appelait Bernadette, elle avait 43 ans, elle a été tuée à Vénissieux par son mari qui l'a écrasée contre un mur avec sa voiture. Il était poursuivi pour violences conjugales et avait interdiction de s'approcher d'elle. En 2018, 121 femmes ont été tuées par leur conjoint ou ex-compagnon – 28 hommes ont été tués par leur conjointe, en sachant que dans la moitié des cas ils étaient violents avec elles. Ces femmes ne tombent pas "sous les coups", comme le veut la formule consacrée, qui laisse entendre que les femmes sont de petites choses fragiles qui succombent à un "coup de trop". La réalité, c'est que ces hommes les ont tuées, ils les ont étranglées, étouffées, poignardées, fusillées, défenestrées. Souvent, elles avaient signalé de précédentes violences à la police.

Le moment le plus critique est celui de la séparation – au moment de l'annonce de la séparation ou quelque temps après. Titiou Lecoq, qui a étudié pendant deux ans pour le journal *Libération* toutes les histoires de femmes tuées par leur compagnon ou ancien compagnon, remarque

que « ce sont des hommes qui tuent des femmes parce qu'ils considèrent qu'elles doivent leur appartenir. Qu'elles n'ont pas le droit de partir, de tromper, de refuser, de crier, de reprocher, de faire la gueule, d'agir comme bon leur semble. Ils ne supportent pas qu'elles soient des personnes libres et indépendantes. Ils ne tuent jamais par amour. Ils ne tuent pas parce qu'ils aiment trop. Ils tuent pour posséder, et posséder ce n'est pas et ce ne sera jamais aimer.[99]»

Comment s'en étonner, quand l'idée qu'un homme peut tuer par amour est profondément ancrée dans nos mentalités, voire exaltée dans notre culture[100] ? Quand, dans les journaux, ces meurtres sont souvent décrits comme des "crimes passionnels" ou des "drames familiaux" ? C'est pour cela que de nombreuses féministes se battent pour que ces termes disparaissent des titres et des articles de journaux, et que ces actes meurtriers soient nommés pour ce qu'ils sont : des féminicides. La militante Sophie Gourion s'est ainsi donné pour mission, sur son blog *Les mots tuent*, de collecter les articles de presse qui traitent des violences envers les femmes de manière incorrecte, contribuant à les banaliser ou à les excuser :

> *« Les "drames familiaux", "les drames de la séparation" les "pétages de plomb" se retrouvent dans les colonnes des faits divers, entre deux chiens écrasés, comme s'il s'agissait d'événements isolés, liés au hasard et non systémiques. L'homme était déprimé, ne supportait pas la rupture ou bien était "monsieur Tout-le-monde" : autant de formulations, explique-t-elle, visant à susciter l'identification et la compassion envers le meurtrier. »*

Ces morts ne sont pas des fatalités. Ce qui se passe dans d'autres pays montre qu'il est possible, avec des politiques publiques adaptées, de faire baisser le nombre de victimes : l'Espagne, qui consacre depuis dix ans deux fois plus d'argent que la France à la lutte contre les féminicides, a vu leur nombre diminuer fortement – 47 femmes tuées en 2018, contre 76 en 2008.

Au-delà des chiffres, accablants, il faudrait expliquer ce que l'on

99. Titiou Lecoq, « Meurtres conjugaux : deux ans de recensement, plus de 200 femmes tuées et tant de victimes autour », *Libération*, 3 janvier 2019.
100. Qu'on songe, parmi d'autres exemples, au tube de Johnny Hallyday, *Requiem pour un fou* (1976) : « Elle a fait de moi un fou d'amour / Ma vie, c'était son corps / Je l'aimais tant, oui que pour la garder, je l'ai tuée ».

sait des hommes qui commettent ces crimes. Je n'y ai pour l'instant consacré qu'un seul épisode, *Qui sont les conjoints violents*, où maître Isabelle Steyer, qui défend des victimes de violences conjugales, nous a notamment parlé des groupes de parole qu'elle anime pour des hommes condamnés. Sauf qu'on manque de données sur l'efficacité de ces programmes destinés à ce que ces hommes comprennent la portée et la gravité de leurs actes, et on ne sait pas s'ils leur permettent d'éviter la récidive, une fois sortis de prison.

Le sujet reste donc à explorer, mais je n'ai pas encore toutes les informations nécessaires pour l'approfondir. Sans compter que réfléchir aux violences conjugales et aux féminicides soulève des questions vertigineuses sur nos conceptions de l'amour, de l'attachement et du couple, et que ces questions sont pour moi, je dois l'avouer, éprouvantes. C'est aussi pour cela que je ne leur ai pas encore consacré plus de place dans mon émission, où j'ai beaucoup plus exploré les violences sexuelles. C'est donc sur ces violences, et leurs rapports avec la masculinité, que je vais me concentrer dans les pages qui suivent.

VIOLENCES SEXUELLES ET CULTURE DU VIOL

Le viol et les violences sexuelles sont des faits graves, qui entraînent d'importantes conséquences sur la santé psychique et physique de leurs victimes. Extrêmement répandues, ces violences sont considérées dans notre société de façon paradoxale : le viol est, dans les discours, décrit comme un crime horrible, affreux, monstrueux ; mais, en pratique, nous continuons à ne pas le punir, à le tolérer, voire à l'encourager. S'il faut absolument écouter la parole des victimes, la perspective que j'ai choisie dans les différents épisodes consacrés aux violences sexuelles vise d'abord à s'interroger sur ce qu'on sait des violeurs : qui sont-ils ? Pourquoi violent-ils ? Quels mécanismes permettent à ces violences d'être si répandues, et si peu punies ?

Commençons par rappeler les faits :

- En France, 16 % des femmes ont au moins une fois dans leur vie été victimes de viols et de tentatives de viols[101].
- La loi française considère que « Tout acte de pénétration sexuelle,

101. Enquête « Le contexte de la sexualité en France », *Inserm*, 2007.

de quelque nature qu'il soit, commis sur la personne d'autrui ou sur la personne de l'auteur par violence, contrainte, menace ou surprise est un viol. Le viol est puni de quinze ans de réclusion criminelle.[102]» Cela implique les pénétrations vaginales, anales, mais aussi buccales ; peu importe que cette pénétration soit commise avec des objets, un pénis ou des doigts.

- Que les victimes de ce crime soient des femmes, des enfants ou des hommes, les violeurs ont en commun leur genre : ce sont à 94 % des hommes[103].

Ce dernier point est particulièrement troublant. Les femmes ne sont pas violées par des extraterrestres, par des fantômes ou des monstres : elles le sont par des hommes. C'est le seul point commun qu'ont les violeurs, qui viennent encore une fois de tous les milieux sociaux. La question qu'on pose dans les épisodes consacrés aux violences sexuelles est donc : *Qu'est-ce qui lie masculinité et violences sexuelles ?*

Peut-être faut-il commencer par décrire la "culture du viol", dans laquelle nous baignons toustes.

Cette culture du viol, c'est l'ensemble des idées reçues sur les violeurs, les victimes de viols, et les violences mêmes ; ce sont nos représentations de ce qu'est un "vrai viol", une "vraie victime", un "vrai violeur". Largement partagées, transmises de génération en génération, ces représentations évoluent dans le temps et imprègnent nos mentalités, notre langage, nos lois, nos fictions et œuvres d'art ; nous sommes nombreux·ses à y croire et à les propager : cela forme donc une culture. Ces préjugés concourent à déresponsabiliser les violeurs, culpabiliser les victimes et invisibiliser les viols.

C'est, par exemple, l'idée qu'une femme qui a été violée l'a forcément "un peu cherché", parce qu'elle n'aurait pas dû s'habiller comme ceci, se comporter comme cela, boire de l'alcool ou prendre de la drogue, se déplacer ici ou là, qu'elle exagère ou qu'elle ment ; mais aussi, que les violeurs sont des malades mentaux ou qu'ils n'ont pas pu se retenir ; ou encore, que les viols résultent d'un malentendu ou d'un problème de communication – 32 % des Français·es pensent ainsi qu'à l'origine

102. Article Article 222-23 du Code pénal.
103. Selon une étude « Population & Société », *INED*, 2016.

d'un viol il y a souvent un malentendu, et ielles sont 42 % à estimer que la responsabilité d'un violeur est atténuée si la victime a eu un comportement "provocant" en public[104].

Le "vrai viol", dans notre imaginaire collectif, se déroule dans l'espace public (un parking, une ruelle sombre), la nuit, sur une femme court vêtue, menacée avec un couteau ou une arme à feu, par un inconnu monstrueux souffrant d'une pathologie mentale. Pourtant, ce scénario ne correspond qu'à une minorité de viols.

Il est donc indispensable de démonter ces préjugés sur le viol, ce qui était l'objet de l'épisode 18 avec Noémie Renard, *Qui sont les violeurs*. Cette ingénieure en biologie et militante féministe a étudié, compilé, regroupé des milliers de statistiques et d'études sur le viol, pour en tirer un ouvrage remarquable, *En finir avec la culture du viol*[105]. Ce qu'elle a établi sur le viol et les violeurs, c'est que :

- La plupart du temps, les violeurs n'utilisent pas d'armes et n'ont pas besoin d'utiliser la violence physique[106]. Dans 70 % des cas, les victimes ne se débattent pas, parce qu'elles sont sidérées (par la peur, parce qu'elles n'arrivent pas à croire à ce qui leur arrive...).
- Les violeurs ne sont pas des "mecs frustrés". Ils ne violent pas par manque de rapports sexuels consentis. Toutes les études sur les agresseurs sexuels montrent, au contraire, qu'ils ont plus de partenaires sexuels que la moyenne. Une étude des années 1990 révèle que 89 % des hommes emprisonnés pour viol avaient, avant leur incarcération, des rapports réguliers au moins une ou deux fois par semaine, dont ils se disaient très satisfaits.
- Les violeurs ne violent pas non plus suite à des "pulsions" incontrôlables : si c'était le cas, ils violeraient en plein milieu de la rue, en pleine journée, devant tout le monde.
- Les violeurs ne sont pas des malades mentaux. En Europe, seuls 7 % des violeurs condamnés ont une maladie mentale. Au contraire, les violeurs ont un comportement extrêmement rationnel : leurs actes sont réfléchis, prémédités, calculés, pour prendre le moins

104. Enquête « Les Français et les représentations sur le viol et les violences sexuelles », *Ipsos*, juin 2019.
105. Publié aux éditions Les Petits Matins, en 2018. Les chiffres cités dans cette partie en sont tirés.
106. Seules 10 à 11 % des victimes ont des blessures physiques après un viol, et on inclut dans ce chiffre les petits hématomes et les égratignures.

de risques possible.
- Les violeurs sont en fait des "monsieur Tout-le-monde", de tout âge, de tout milieu. Le collectif Féministe contre le viol, qui tient depuis de nombreuses années une ligne d'écoute des victimes rapporte que ces femmes ont été violées par des agriculteurs, médecins, ouvriers...
- Le viol est un crime beaucoup plus répandu qu'on ne le pense : entre 25 % et 43 % des hommes disent avoir perpétré au moins une fois dans leur vie une agression sexuelle, ou une pénétration par la contrainte.
- Les violeurs ne sont pas des inconnus : 80 % des femmes violées l'ont été par des hommes qu'elles connaissaient – mari, ami, voisin, professeur, membre de la famille...

J'insiste sur ce chiffre. Car si nous sommes entouré·es de femmes qui ont été violées, cela signifie que nous avons aussi, toutes et tous autour de nous, des hommes qui ont commis des violences sexuelles. Les violeurs ne sont donc pas des monstres. Ils ont le visage d'hommes que nous connaissons, que nous aimons, à qui nous faisons confiance. C'est évidemment insupportable de penser que nos amis, frères, cousins, pères, puissent être des violeurs, comme le reconnaît Noémie Renard :

> *« Il y a un décalage incongru entre la nature de ces violences et la banalité de ceux qui les commettent. Comment croire que ce gentil voisin ait pu violer sa nièce ? Comment imaginer que le prêtre de la paroisse ait pu sexuellement agresser des enfants ? Cela remet brutalement en question une représentation du monde selon laquelle ces violences sont le fait des "autres", des hommes particulièrement sauvages et violents, et avec lesquels nous n'avons absolument rien à voir : le "voyou de banlieue", le "prolo incestueux", le "psychopathe", le "pervers", les "élites décadentes"... »*

Identifier et repérer cette culture du viol permet donc de mieux comprendre pourquoi les violences sexuelles sont si répandues dans nos sociétés. De la même façon, s'intéresser à la manière dont on éduque les garçons est un moyen de mieux comprendre ce qui lie si étroitement la masculinité et le viol.

LE VIOL COMME PERFORMANCE DE MASCULINITÉ

On l'a vu tout au long de ce livre, notre société considère encore, de mille manières différentes, que les désirs des garçons sont plus importants que ceux des filles. Quand on viole quelqu'un, on considère que son propre désir et sa volonté sont plus importants que ceux de l'autre. Si la masculinité est conçue comme une domination sur les femmes, alors on comprend comment le fait d'exercer cette forme de domination peut renforcer le sentiment de masculinité de l'agresseur. Le viol peut donc être analysé comme une performance de masculinité

On ne manque pas d'exemples de sociétés qui, à ce titre, l'encouragent plus ou moins explicitement. Au Moyen Âge, en France, des bandes de jeunes hommes se livraient ainsi à des sortes de compétition pour violer ensemble le plus de femmes possible, performance qui leur permettait de se mesurer entre eux, sans aucun risque d'être punis, évidemment, tant la honte et les risques pour leurs victimes étaient grands[107]. De nos jours, au sein de certaines fraternités élitistes sur les campus américains, ainsi que l'a montré le sociologue Michael Kimmel, le viol et les viols collectifs peuvent être vécus comme des moyens pour de jeunes étudiants d'affirmer leur virilité et leur appartenance au groupe[108]. Dans les corps de métiers extrêmement masculinisés, comme les pompiers, l'armée, la police, on recense aussi de nombreux cas de viols collectifs, commis sur des hommes et des femmes, par exemple lors de bizutages ; viols qui renforceraient les liens des hommes entre eux.

L'anthropologue Christine Hamel s'est entretenue avec plusieurs hommes qui avaient commis des viols collectifs avec leurs amis. Leurs victimes étaient des femmes qu'ils connaissaient, dont ils avaient gagné la confiance, parfois même qui étaient leurs petites amies ; elles pensaient passer un après-midi avec des amis, quand ils avaient décidé de les violer. Leur témoignage est édifiant.

> *« Il ressort de ces récits que les filles [...] sont niées dans leur personne et réduites à un objet de structuration du groupe de pairs. Elles sont considérées comme la propriété indivise du groupe et violées au nom de*

107. Sous la direction de Georges Vigarello, *Histoire du viol, XVIe-XXe* siècles, Seuil, 1998.
108. *Guyland*, Harper, 2008.

la fraternité qui unit les garçons, car "faire tourner les meufs" consiste d'abord et avant tout à "faire croquer à ses potes", ce qui constitue un code tacitement partagé. La sexualité est aussi pensée comme un moyen de se mesurer les uns aux autres. Elle permet de distinguer les plus performants : celui qui "ramène la meuf", puis la "fait tourner", après l'avoir "ken" (niquée), acquiert prestige et supériorité quand les autres lui sont redevables d'avoir bénéficié de sa performance.[109] »

L'IMPUNITÉ DES VIOLEURS

La banalité du viol s'explique aussi par le fait que très peu de violeurs sont en réalité poursuivis, et encore moins condamnés. D'abord, seule une minorité de victimes porte plainte (10 à 15 %). Ensuite, la justice française n'a absolument pas les moyens (et on ne lui donne pas les moyens) de traiter tous les cas de viols dont elle a connaissance. Les deux tiers des plaintes pour viol sont classées sans suite[110], ce qui ne veut pas du tout dire qu'il ne s'est rien passé. Une plainte peut être classée sans suite, parfois sans même une enquête, parce que les juges sont débordé·es, n'ont pas le temps d'enquêter, pensent qu'on ne retrouvera pas l'auteur du crime, estiment que le cas qui leur est présenté est "insuffisamment caractérisé" (ne ressemble pas assez à l'idée qu'on se fait du "vrai viol") et que l'affaire "ne tiendra pas" devant un tribunal. Beaucoup de viols (crimes) sont aussi requalifiés en agression sexuelle (un délit jugé en correctionnelle, avec des peines moins lourdes)... avec le risque qu'ils soient prescrits. Bref, à la fin, une infime minorité de violeurs et d'agresseurs sexuels sont condamnés.

Dans notre monde, les violeurs peuvent donc violer en toute impunité, une impunité institutionnelle mais aussi sociale : nous tolérons que des hommes soient des violeurs. Nous détournons le regard, nous choisissons de ne pas voir, de ne pas écouter, de minimiser ce qu'ont vécu les victimes, voire d'en rire. Pour que le viol soit aussi répandu, cela demande la complicité de toute la société. On découvre chaque jour de nouveaux scandales en la matière : alors que d'innombrables cas de

109. Christine Hamel, « "Faire tourner les meufs" : les viols collectifs dans les discours des agresseurs et des médias », *Gradhiva*, 2003.
110. Audrey Darsonville, « Éléments de réflexion à propos des classements sans suite », *AJ Pénal*, 2017.

violences sexuelles contre des enfants ont été portés à la connaissance de responsables du clergé catholique, ceux-ci ont souvent choisi de protéger les prêtres pédocriminels ; l'entourage du producteur Harvey Weinstein savait qu'il violait des femmes, et l'a même aidé à le faire ; on découvre aujourd'hui que c'est un genre de système similaire qui a protégé l'homme d'affaires Jeffrey Epstein, accusé de traite de mineures et du viol de plusieurs femmes.

Ce qu'il faut bien voir, c'est que ce phénomène d'impunité et de protection se retrouve aussi dans des cercles familiaux et amicaux. Régulièrement, des auditrices m'écrivent pour me faire part de la situation qu'elles traversent. Je pense à la colère de Miranda, qui a été agressée sexuellement par un employé de son oncle, oncle dont elle était très proche :

> *« Mon oncle et sa femme ont été les premiers informés, ils ont tous les deux essayé de justifier l'agression comme étant un malentendu et en disant que mon agresseur n'était en réalité pas une mauvaise personne. Aujourd'hui, mon oncle travaille toujours avec mon agresseur. Comment est-ce possible de travailler avec quelqu'un qui a agressé sexuellement un membre de sa famille ? Comment mon oncle peut-il placer son succès financier avant mon agression ? »*

Hélas, souvent, nous préférons préserver nos relations avec des hommes plutôt que soutenir les victimes. Les témoignages montrent que beaucoup d'hommes trouvent que c'est plus grave de "lâcher" un ami parce qu'il a commis des violences que d'abandonner la victime, même si elle est proche d'eux. Je ne dis pas que ces situations sont faciles à résoudre, et je comprends le désarroi de Maëva, une jeune auditrice qui me demande : « Mon meilleur ami est un violeur, je le sais de sa victime qui est aussi une amie. Quelle position dois-je adopter ? Est-ce que je me trahis en continuant malgré tout à l'aimer en tant qu'ami ? Est-ce qu'on peut distinguer l'homme qu'il est d'une action ignoble qu'il a commise ? »

Parfois, sans que le viol ou l'agression sexuelle soient clairement établis, nous continuons, par notre silence ou nos encouragements, à favoriser des comportements toxiques. Je me souviens ainsi, quand j'étais adolescente, de ce groupe de copains cultivés, drôles et charmants, avec lequel on aimait faire de grosses fêtes et boire beaucoup d'alcool. L'un d'entre eux était connu pour se débrouiller, à chaque soirée, pour avoir des relations sexuelles avec une femme chaque fois différente. Un comportement perçu dans le groupe comme un peu grotesque (*C'est le queutard de la galaxie*) mais aussi prestigieux ; c'était le motif de plaisanteries et d'encouragements (*Alors, t'es en petite forme ce soir, t'as toujours pas pécho ?*). Personne dans ce groupe – moi y compris – ne s'est jamais demandé, ni ne s'est jamais assuré, que les jeunes femmes à qui il proposait *d'aller faire un tour dehors* – des jeunes femmes plus jeunes, que nous ne connaissions pas – étaient en état de consentir à ce qui allait leur arriver. Or, vu l'état général d'alcoolisation, elles ne l'étaient probablement pas. Et, surtout, nous n'avons jamais abordé ce sujet entre nous.

MA BITE E(S)T MON COUTEAU.

La culture du viol est aussi nourrie de nos représentations sur la sexualité. Dans les premiers temps de la lutte féministe, il était important, pour faire comprendre la gravité de ces violences, de distinguer radicalement "viol" et "sexualité normale" – idée qu'on retrouve dans le slogan féministe populaire : *Quand tu te prends un coup de pelle, tu n'appelles pas ça du jardinage.* Mais ce qui est dérangeant dans le viol, c'est justement à quel point il ressemble à la sexualité "normale". Pour comprendre le viol et les violeurs, nous devons donc aussi interroger nos représentations du consentement, du désir, et du sexe considéré comme "normal".

Le sexe n'est pas par essence non violent ; il est aussi traversé par des rapports de domination. Notre façon d'en parler le révèle crûment : comme si, dans une relation sexuelle, il y en avait une qui devait perdre, et l'autre gagner. Dans le langage courant, "baiser quelqu'un" signifie à la fois le pénétrer et l'arnaquer. Or, si le sexe n'était qu'une source de plaisir et de joie égalitaires, comme le remarque la militante féministe Valérie Rey-Robert, "se faire baiser" devrait être synonyme d'une situation très agréable ; on pourrait ainsi dire *J'ai mangé dans ce nouveau resto, c'était délicieux, je me suis bien fait baiser !*

Les mots et les expressions que nous utilisons pour décrire notre sexualité sont souvent marqués par la violence ; ils appartiennent au champ lexical de la guerre, de la chasse, du domptage, de l'humiliation, et du meurtre. Des hommes peuvent ainsi dire en parlant d'une femme avec qui ils ont eu un rapport sexuel qu'ils l'ont "tirée", "trouée", "défoncée", "cassée", "déboîtée", "démontée", "percée". Dr Kpote, qui intervient depuis vingt ans dans des établissements scolaires en Île-de-France, et que j'ai reçu dans l'épisode *L'impossible éducation sexuelle*, note que les adolescents disent "cracher" pour désigner l'éjaculation. Dans *Le Deuxième Sexe*, en 1949 Simone de Beauvoir faisait déjà remarquer que le vocabulaire érotique et amoureux est celui de la guerre :

> *« L'acte générateur consistant dans l'occupation d'un être par un autre être [...] impose, d'une part, l'idée d'un conquérant, d'autre part, d'une chose conquise. Aussi bien lorsqu'ils traitent de leurs rapports d'amour les plus civilisés parlent-ils de conquête, d'attaque, d'assaut, de siège et de défense, de défaite, de capitulation, calquant nettement l'idée de l'amour sur celle de guerre. Cet acte, comportant la pollution d'un être par un autre, impose au polluant une certaine fierté et au pollué même consentant quelque humiliation. »*

Ce vocabulaire guerrier se retrouve dans d'innombrables représentations de la sexualité. Deux exemples : dans le film *La vérité si je mens 2*, l'un des personnages joué par José Garcia pense parler au téléphone à une femme qu'un de ses amis lui a présentée comme une « grosse chaude du cul » ; il lui dit : « Je suis un marteau-pilon. Je vais te casser tes petites pattes arrière et je vais te faire bouffer ton polochon. » Ce n'est pas propre à la culture populaire – pour preuve cet extrait du roman de Pierre Michon, *Vies minuscules*, paru en 1984 : « Sa jouissance fut âcre comme la poussière qu'elle mordait ; j'étais d'autant plus raide que tout mon être sombrant d'alors se réfugiait dans la raideur de la pointe agressive dont j'éperonnais cette reine, ou cette enfant, pour qu'elle me suivît dans mon naufrage.[111] »

Ce registre de la contrainte et de la souffrance est aussi valable pour une autre production culturelle : la pornographie. Deux minutes passées sur un site pornographique à lire les titres des vidéos suffisent à s'en convaincre : *Grosse salope défoncée et humiliée par trois lascars, Cousine pute déglinguée par tous les trous*... Le journaliste Robin d'Angelo, que j'ai reçu dans l'épisode *Jacquie, Michel et les autres*, a enquêté sur le

111. Relevé par Laélia Véron sur Twitter.

milieu dit "pro-amateur", qui produit les vidéos les plus visionnées sur Internet, comme celles de la puissante entreprise Jacquie et Michel. Il en a tiré un livre[112], récit de violences souvent insoutenables, qui ne sont jamais reconnues comme telles par ceux qui les perpétuent. Ainsi, il décrit comment l'un des producteurs, nommé Célian, connu pour sa brutalité, appuie ses jambes sur la tête d'une actrice jusqu'à la faire suffoquer et réprimer un vomissement, puis lui gifle les seins, avant qu'elle ne proteste (car ce n'était pas dans le contrat) : « C'est quitte ou double, se justifie-t-il. Certaines se prêtent au jeu, d'autres non. »

Le chercheur Florian Vörös, invité de l'épisode 16, *En regardant du porno*, a pour sa part interrogé des hommes de toutes orientations sexuelles sur leur rapport à la pornographie. Ce qui l'a frappé dans les entretiens réalisés avec des hommes hétérosexuels, dit-il, « c'est la récurrence des fantasmes de docilité et de sollicitude féminines[113] », ce qu'il nomme fétichisme de la femme docile. L'un des hommes interrogés dit par exemple : « Moi, ce que je n'aime pas, c'est les filles excitées. » Le problème, analyse Florian Vörös, ce n'est pas d'avoir ces fantasmes, mais de ne pas les reconnaître pour ce qu'ils sont : « Ce qui me paraît dangereux dans le comportement de ces spectateurs, c'est qu'ils refusent d'utiliser les mots de "domination" et de "violence" pour qualifier leurs propres fantasmes et qu'ils s'imaginent au-dessus de ces problèmes. »

Loin de moi tout jugement moral sur le plaisir provoqué par de telles vidéos. Moi aussi, ça peut m'exciter. On se débrouille comme on peut avec nos désirs, avec nos fantasmes, sur lesquels nous avons finalement peu prise. Mais cela ne doit pas nous empêcher de les interroger, ni de reconnaître que la production pornographique hétérosexuelle est résolument marquée par une très grande violence, comme le rappelait Virginie Despentes dans *King Kong Théorie* : « Le porno se fait avec de la chair humaine, de la chair d'actrice. Et au final, il ne se pose qu'un seul problème moral : l'agressivité avec laquelle on traite les hardeuses. » Il ne s'agit pas de juger telle ou telle pratique, mais de se demander pourquoi les pratiques représentées dans le porno sont

112. *Judy, Sofia, Lola et moi*, éditions Goutte d'Or, 2018.
113. Florian Vörös, « L'ère du porno », hors-série du *Nouvel Observateur*, 2018.

si souvent violentes et considérées comme absolument normales[114]. Qu'est-ce que cela raconte de la sexualité hétérosexuelle ? Pourquoi tant d'hommes bandent sur des images de femmes humiliées, parfois hurlant de douleur, manifestant très clairement leur refus ? Pourquoi la violence infligée aux femmes est-elle sexuellement si excitante ?

L'ÉROTISATION DE LA VIOLENCE ET DE LA CONTRAINTE

Il semble que l'érotisme occidental se soit construit au cours des siècles sur l'idée que les femmes étaient ambiguës quant au consentement, et que c'est justement ça qui soit excitant : la violence et la domination sont érotisées, et le non-consentement est vécu comme excitant.

Nous avons, collectivement, un énorme problème avec le consentement. 18 % des Français·es pensent qu'une femme peut prendre du plaisir à être forcée – et ielles ont été interrogées un an et demi après le début du mouvement #MeToo[115]. C'est à peine moins que trois ans auparavant (21 %). Le "non" d'une femme ne serait donc pas un réel "non" mais une sorte de jeu érotique ; c'est le "elle dit non, mais en fait ça veut dire oui".

« Pourquoi la violence infligée aux femmes est-elle sexuellement si excitante ? »

C'est un schéma qu'on retrouve souvent dans nos films, nos séries, nos romans. Dans *Star Wars* (1980), Leïa repousse à plusieurs reprises les avances de Han Solo ; il finit par la plaquer contre un mur et l'embrasser de force. James Bond dans *Goldfinger* (1964) viole Pussy Galore dans une étable. Dans ce qui est longtemps resté l'un de mes films préférés, *Attache-moi* (1989), de Pedro Almodóvar, le héros kidnappe, attache et séquestre une jeune femme, qui finira par tomber amoureuse

114. Je connais et me réjouis de l'existence de la pornographie alternative, qui cherche à sortir de ces stéréotypes (comme celle montrée au Porn Film Festival à Berlin) ; je rappelle juste qu'elle est très minoritaire.
115. Enquête « Les Français et les représentations sur le viol et les violences sexuelles », *Ipsos*, juin 2019.

de lui. On peut aussi citer *Un dernier tango à Paris, À bout de souffle*... et tellement d'autres : la liste est malheureusement longue.

Tandis que, pour écrire ce livre, je me replonge dans tous les récits et analyses des violences intimes commises par des hommes, je tente de me changer les idées pendant les pauses en me réfugiant dans ce qui a toujours été ma source de réconfort : la littérature. Mais, là encore, la culture de la violence masculine dans laquelle nous baignons depuis si longtemps me rattrape. Feuilletant les carnets dans lesquels je collecte mes citations favorites, je tombe sur une scène de *Cent ans de solitude* de García Márquez (1968), qui est l'un de mes romans préférés. À l'époque je l'avais recopiée parce qu'elle me semblait être une sublime scène de sexe : Aureliano trouve Amaranta magnifique (il fantasme sur elle depuis des années, il a imaginé « chaque nuance de sa peau »), et à la fin elle jouit comme jamais. Pourtant dès le début, on sait qu'Amaranta n'est pas d'accord (elle sort du bain, il la suit dans sa chambre, elle lui dit « va-t'en ») ; il la déshabille « d'une secousse brutale », « avant qu'elle n'eût le temps de l'en empêcher ». Ensuite ils se battent : c'est un « combat féroce ». Elle lui griffe le visage, elle essaie de le bloquer avec ses genoux, mais le narrateur nous dit que ce n'est qu'une « ruse de femelle », sous-entendant qu'elle ne se débat que pour l'exciter lui. Elle continue à lutter, à mordre, mais, nous dit le narrateur, ses morsures sont « feintes » et l'attaque se transforme en « ébats conventionnels » : ils sont « adversaires et complices ». Quand Amaranta « veut réagir », il est « trop tard »: Aureliano la pénètre, et elle jouit immédiatement.

C'est un exemple typique, et extrêmement banal, de la manière dont toute notre culture érotise le viol : on sous-entend que la résistance des femmes est toujours feinte, que contrairement à ce qu'elles prétendent elles adorent être forcées, et qu'il est donc normal que les hommes insistent et les forcent (si bien que ce n'est pas vraiment un viol). Dans le cas de cette scène de *Cent ans de solitude*, la mystification est d'autant plus parfaite qu'elle est servie par une écriture somptueuse.

REFUSER LES REFUS, ET INSISTER

Autre mythe sur le viol : le problème viendrait des femmes qui ne savent pas communiquer clairement qu'elles ne désirent pas le rapport sexuel. Mais il ne suffit pas de dire non : des études montrent que le problème n'est pas que les hommes ne comprennent pas le "non" féminin, mais qu'ils ne l'acceptent pas.

On sait bien que dans le sexe, comme dans d'autres conversations, les gens utilisent et comprennent des formes atténuées de refus, verbales et non verbales. Il est admis que dans la plupart de nos interactions, hommes comme femmes, nous avons tendance à éviter de dire "non" frontalement. Pourtant, nous sommes capables de comprendre un refus. Si vous invitez à dîner une amie et qu'elle vous répond *Ça va être compliqué, je suis crevée en ce moment...*, vous comprenez qu'elle refuse votre invitation, même si elle n'a pas dit non explicitement. Le problème n'est donc absolument pas dans la manière dont les femmes manifestent leur refus (par exemple avec des phrases comme *Il est tard, je vais rentrer ; Je travaille tôt demain ; Je préfère pas,* ou simplement avec des attitudes – en ne rendant pas les baisers, ni les caresses, en restant figée, en ne manifestant aucun plaisir), mais bien la manière dont les manifestations de ces refus ne sont pas acceptées par les hommes. Quand on comprend ça, on comprend aussi l'inutilité totale des campagnes contre le viol du type *Non, c'est non.* Ce n'est pas que les femmes ne communiquent pas leurs limites clairement, c'est que les hommes choisissent de les ignorer.

Et dans les contextes de séduction, ils se sentent légitimes pour ignorer ces limites et ces refus, légitimes pour insister jusqu'à ce que la femme cède, comme l'illustrent les témoignages de cet article intitulé « Ces hommes incapables d'entendre un "non" féminin, ou la culture de l'insistance[116] ». Une jeune femme raconte comment elle a dû, cinq fois de suite, de plus en plus mal à l'aise, dire "non" à son professeur de musique qui insistait pour qu'elle vienne chez lui "prendre un verre" :

> *« Pourquoi un homme se sent-il légitime quand il réitère plus de cinq fois la même proposition ? Pourquoi n'entend-il pas les désirs et les besoins de la personne qu'il a en face de lui ? Pourquoi le "non" exprimé par la femme n'a, de toute évidence, pas plus de légitimité que de valeur à ses yeux ? Pourquoi nous sourions et prenons soin d'arrondir les angles quand nous leur opposons un refus ? Parce qu'on nous a appris à avoir peur des hommes ? À ne jamais aller au conflit ? [...] Les femmes qui subissent l'insistance d'un homme peuvent finir par céder,*

116. Agathe Charnet et Inès Coville, *Slate*, 10 mai 2019.

> *et pour cause. Parce qu'il n'est déjà pas agréable de dire non, mais quand en plus il faut se répéter deux, quatre ou dix fois, c'est encore plus pénible. Si l'on ajoute les problèmes d'assertivité, la stratégie de l'insistance [...] a toutes les chances de réussir pour un homme. »*

Cette "culture de l'insistance", on la retrouve partout. Dans son documentaire *Sexe sans consentement*, la réalisatrice Delphine Dhilly a interrogé des femmes qui ont eu des rapports sexuels non désirés au début de leur vie sexuelle : elles racontent à visage découvert, en détail, calmement, comment leur ami, leur flirt, ou même leur futur mari, ont eu avec elles des rapports sexuels alors qu'elles ne le voulaient pas. Elles ont dit non, doucement, ou alors se sont figées ; mais le garçon avec qui elles étaient a continué.

Delphine Dhilly a également choisi d'interroger des garçons. *Comment tu sais qu'une fille a envie de coucher avec toi ?* a-t-elle par exemple demandé à des dizaines de jeunes hommes, beaux gosses, la vingtaine éclatante, rencontrés à la plage et dans des festivals. Réponses : *Tout est dans le regard, le eye contact ; Si je dis à une fille on rentre à la maison ?, qu'elle dit oui, bah, après ça veut dire que c'est bon ; Le truc, c'est la mèche de cheveux. Quand elle remet ses cheveux ; La fille, elle te dit rien, toi non plus tu dis rien, ça vient tout seul.* L'un des garçons interrogé dans le film explique même :

> *« Ça m'est déjà arrivé d'être dans cette situation, je voulais aller plus loin, et elle dit non, on a fait la première partie, et là "Ah mais non, j'peux pas machin et tout"... À force de la relancer, au petit matin j'ai eu ce que je voulais. C'est un petit travail comme ça. J'aime bien les filles compliquées ; donc dès qu'on me dit non ça me motive. Le non d'une fille c'est limite... pas excitant, mais ça me motive en tout cas ! »*

Sur les sites et les blogs de la mouvance de la communauté de la séduction[117], on trouve aussi d'innombrables techniques de séduction qui visent non pas à susciter le désir des femmes, mais à les faire céder et à venir à bout de leurs résistances. Un exemple parmi tant d'autres : la technique contre ce qu'ils appellent la

117. Comme par exemple le très populaire site artdeseduire.com, qui propose des guides du type *Découvrez Comment Le Meilleur Dragueur Du Moment A Couché Avec Plus De 273 Filles En 10 Ans!!!*

"LMR" (*last minute resistance*, résistance de dernière minute), dans le cas où la "cible" serait par exemple d'accord pour des câlins, mais pas pour un rapport sexuel. Afin de vaincre cette résistance, le site conseille de recourir à la technique de la vague : la cible acceptant certaines caresses, mais pas d'autres, l'auteur conseille d'insister et de revenir à la charge, en la poussant progressivement à accepter des caresses de plus en plus sexuelles, jusqu'à un coït complet. C'est la progressivité qui va faire qu'elle se sentira ridicule de refuser (*Je ne voulais que des câlins, il m'a prise dans ses bras puis a fini par toucher mon décolleté, puis ensuite il est passé à des caresses sur mon soutien-gorge, donc pourquoi refuser des caresses sans le soutien-gorge*, etc.).

L'INVISIBILISATION DE CERTAINES FORMES DE VIOLENCE SEXUELLE

Toute cette culture misogyne rend encore plus difficile la perception d'autres formes de violences sexuelles, plus insidieuses, plus floues, qui ne sont encore pas encore assez étudiées et analysées. Il y a ainsi des rapports sexuels qui ne sont pas pleinement consentis, qui commencent comme des rapports désirés, et dont la tonalité change au fur et à mesure du rapport. C'est ce que Noémie Renard a nommé les « interactions sexuelles à coercition graduelle », qui regroupent tous ces moments où les femmes se voient imposer par leur partenaire, en plein rapport sexuel désiré, des gestes, des paroles, des attitudes auxquelles elles n'ont absolument pas consenti :

> *« Le "partenaire" masculin prend ensuite le contrôle pour imposer la façon dont [le rapport] se déroule. [...] Par exemple : l'endroit où il éjacule. Le moment où l'acte sexuel doit s'arrêter (des hommes continuent par exemple de pénétrer leur "partenaire" alors que celle-ci leur a demandé d'arrêter, parfois en pleurant de douleur. Ils peuvent aussi l'empêcher de se dégager lors d'une fellation). Le rythme et la profondeur, pendant des pénétrations vaginales ou anales, ou lors de fellations (qui deviennent par exemple des gorges profondes imposées). Les positions (certains hommes déplacent leur "partenaire" comme s'il s'agissait d'une poupée, peuvent l'obliger à se maintenir dans une position qu'elle trouve inconfortable, voir douloureuse.) L'absence de port d'un*

préservatif : certains le retirent en cachette ("stealthing"), d'autres insistent lourdement pour ne pas en porter. [118]»

Les interactions sexuelles à coercition graduelle, ce sont aussi toutes ces situations où des hommes leur crachent dessus, les giflent, leur mettent des fessées, les insultent, leur tirent les cheveux, les étranglent, leur enfoncent des doigts ou leur pénis dans l'anus, sans jamais leur avoir demandé si elles étaient d'accord, si ça leur plaisait, si elles en avaient envie. Cela ne signifie pas que ces pratiques ne puissent jamais être excitantes ou désirées, mais que l'expression du consentement doit être continue. On ne devrait pas considérer qu'il est donné au début du rapport sexuel.

Enfin, notre culture du viol et nos conceptions normatives de la masculinité nous empêchent d'entendre que les hommes aussi puissent être violés. 5 % des hommes déclarent avoir subi des rapports forcés ou des tentatives de rapports forcés au cours de leur vie (dans la majorité des cas, ces viols ont été commis par d'autres hommes). Pourtant, 13 % des Français·es pensent encore qu'un homme ne peut pas être violé.

On continue en effet à considérer que, pour empêcher un viol, il suffirait de se débattre suffisamment, qu'on soit homme ou femme ; les hommes étant pensés comme plus forts physiquement, n'ayant pas peur et ne se laissant pas faire, le viol commis sur des hommes devient impensable. C'est encore plus impensable si un homme a été violé par une femme, puisqu'un homme, par définition, ne peut pas avoir peur d'une femme. Dans le cas où une femme forcerait un homme à la pénétrer, notre vision mécanique de la sexualité nous dit qu'il ne peut s'agir d'un viol : s'il bandait, c'est qu'il était d'accord. Mais une érection n'est pas une preuve de consentement, ni de désir (pas plus que la production de cyprine chez une femme).

Le viol des hommes n'est donc que très rarement pris au sérieux. Dans les productions culturelles, il est d'ailleurs systématiquement tourné en ridicule. C'est ce que révélait l'un des épisodes de l'excellente émission *Pop Culture Detective*[119] à l'aide de nombreux exemples pris dans des séries, films et des émissions de télévision : les blagues

118. Noémie Renard, *En finir avec la culture du viol*, les Petits matins, 2018
119. « Sexual Assault of Men Played for Laughs », *Pop Culture Detective*, Youtube, 11 février 2019.

sur le viol des hommes visent toujours ceux qui sont violés, en les ridiculisant parce qu'ils sont trop faibles pour être respectés. Quand un homme est violé en prison par ses codétenus, beaucoup de gens estiment d'ailleurs que c'est de sa faute – s'il n'avait pas commis des actes répréhensibles, il ne serait pas allé en prison, et il n'aurait pas été violé. CQFD. Cela va sans dire, mais c'est mieux en le disant : rien ni personne ni aucune circonstance ne justifient jamais d'être violé·e.

Au terme de cet éprouvant tour d'horizon des violences sexuelles, on peut donc affirmer que ce qui favorise le viol et le rend si fréquent, c'est à la fois notre complaisance face aux violeurs, l'indigence de nos politiques pénales, judiciaires et policières, nos conceptions misogynes de la sexualité, du consentement et du désir, et, *in fine*, la société patriarcale dans laquelle nous vivons et qui nous inculque, partout et tout le temps, la supériorité masculine et l'infériorité féminine. C'est en cela que le philosophe Paul B. Preciado peut, avec d'autres, dire que le viol, n'est « pas du tout une exception, mais une technique fondamentale de sexualisation [...] Le viol est le meilleur instrument pour produire la féminité en tant que féminité et la masculinité en tant que masculinité, puisque c'est à travers la transformation de la sexualité en violence et notamment de l'hétérosexualité en violence que nous sommes sexué·es. »

PAROLES DE VIOLEURS ?

En réfléchissant au viol, comme à d'autres types de violences, une question revient, obsédante : dans quelle mesure les hommes coupables de violences ont-ils vraiment conscience de ce qu'ils font ? Peut-on violer quelqu'un "sans s'en rendre compte" ? Que se passe-t-il dans la tête d'un homme qui est en train de violer ? Il me paraît difficilement imaginable de ne pas prendre conscience qu'une personne est mal à l'aise, et qu'elle n'est pas consentante. Alors, n'est-ce pas plutôt qu'ils s'en rendent parfaitement compte, mais qu'ils décident de ne pas en tenir compte ? Soit que la non-réciprocité du désir ne soit pas importante, soit qu'elle devienne carrément une source d'excitation.

Et pour s'arranger avec leur conscience, ils ne se disent pas que c'est un viol. C'est le paradoxe que soulignait déjà Despentes dans *King Kong Théorie* : dès la publication de *Baise-moi*, son premier roman, elle rencontrait des femmes qui lui racontaient dans quelles circonstances elles avaient été violées ; or, s'étonnait-elle :

> *« Comment expliquer qu'on n'entende presque jamais la partie adverse : "J'ai violé Unetelle, tel jour, dans telles circonstances" ? Parce que les hommes continuent de faire ce que les femmes ont appris à faire pendant des siècles : appeler ça autrement, broder, s'arranger, surtout ne pas utiliser le mot pour décrire ce qu'ils ont fait. Ils ont "un peu forcé" une fille, ils ont "un peu déconné", elle était "trop bourrée", ou bien c'était une nymphomane qui faisait semblant de ne pas vouloir : mais si ça a pu se faire, c'est qu'au fond la fille était consentante. [...] Dans la plupart des cas, le violeur s'arrange avec sa conscience, il n'y a pas eu de viol, juste une salope qui ne s'assume pas et qu'il a suffi de savoir convaincre. À moins que ça ne soit difficile à porter, aussi, de l'autre côté. On n'en sait rien, ils n'en parlent pas. [...] Les hommes condamnent le viol. Ce qu'ils pratiquent, c'est toujours autre chose. »*

Ce que semblent confirmer les trois témoignages qui vont suivre.

Le 16 mai 2019, sur Twitter, un journaliste relève un passage d'un livre écrit par un ancien assistant parlementaire, que ce dernier présente comme son autobiographie. Cette scène semble pour l'auteur anecdotique[120] :

> *« Tard un soir, je m'introduis dans la blonde. Elle est sèche comme du papier de verre. Les yeux mi-clos, du ton geignard de ceux qu'on réveille, elle me dit "Non, non". Elle secoue mollement la tête, passe ses bras sous l'oreiller. Je continue à pousser. "Non... Non, non..." Rien à faire, le rapport est refusé. Alors j'éjacule froidement. Comme dans un sac. Sans un mot, elle se lève pour s'essuyer. Un sentiment de honte s'empare de moi. »*

On a bien là le récit d'un viol du point de vue du violeur : elle est endormie (elle ne peut donc pas consentir), il la pénètre quand même, elle proteste, il a conscience du refus (elle dit non), il décide de ne pas en tenir compte. Quand de nombreux internautes sur Twitter lui ont fait remarquer qu'il s'agissait là d'un viol, l'auteur a persisté à nier. Aucun des

120. Nicolas Grégoire, *Pas avant le deuxième tour*, auto-édité.

arguments soulevés ne l'a convaincu, il a préféré voir dans ces réactions la "haine" de "personnes malveillantes". Cette capacité d'auto-aveuglement, de déni, me laisse encore stupéfaite.

Il s'agit aussi d'une scène d'auto-valorisation, comme l'a très justement analysé sur Twitter la linguiste Laélia Véron :

> *« La blonde (qui ne mérite pas de nom), victime du viol, est décrite de manière extrêmement condescendante et négative. Elle a un ton "geignard", elle réagit "mollement", elle est chosifiée (c'est comme s'il éjaculait dans un "sac", elle est sèche "comme du papier de verre"). La "honte" évoquée en fin de paragraphe est factice : c'est une mise en scène de soi en homme torturé, qui vise à éveiller la compassion du lecteur. Le viol fait donc partie de la posture pseudo-subversive de l'auteur, ça contribue à construire son ethos de "je suis un écorché, un rebelle" [...] Il n'a aucune honte réelle. S'il avait vraiment honte, il n'aurait pas inclus ce passage, ou il ne l'aurait pas raconté comme cela. »*

Depuis que j'ai fait remarquer dans un épisode qu'on n'entendait jamais d'hommes dire qu'ils avaient violé, j'ai reçu plusieurs témoignages d'auditeurs me racontant dans quelles circonstances ils avaient violé. Je ne prétends pas que ces cas soient représentatifs de tous les viols. Je choisis de reproduire deux extraits de ces courriers, avec l'accord de leurs auteurs, parce que même si c'est très difficile à lire, il me semble utile de chercher à comprendre (pas à excuser) ce qu'il se passe de leur côté, comment ils se représentent leurs actes.

Voici Samuel, 22 ans :

> *« Il y a quelques années, j'ai eu un rapport non consenti avec une ex. J'ai du mal à le dire tant ces mots me paraissent violents et tant ils représentent une chose à laquelle je ne veux pas m'associer, mais je l'ai violée. Notre relation fonctionnait bien, on s'entendait bien, on aimait se voir et faire des choses ensemble. [...] J'étais sa première fois. Et elle avait vraiment du mal à parler de sexe, de sexualité. [...] Elle était de ces filles qui trouvent grossier de se toucher avant leur première fois, de celles qui ne connaissent donc pas leur corps et qui se livrent à tort entièrement à leur partenaire pour découvrir leur sexualité. Un soir, peut-être saoul (je ne me souviens plus bien mais je crois et j'espère que je l'étais pour rejeter vainement une partie de la*

responsabilité sur la boisson), nous nous embrassons et commençons à entreprendre quelque chose. Avant que ça ne commence vraiment, elle me dit qu'elle est fatiguée et qu'elle n'a pas envie. [...] Moi, j'en ai vraiment envie. Et dans ma tête circule l'idée qu'elle ne connaît pas vraiment son corps, qu'elle ne sait pas si elle en a vraiment envie ou non et que comme elle n'est pas à l'aise avec ça, elle n'ose pas dire ce qu'elle veut. Je remonte donc sur elle et commence à l'embrasser, la toucher et après avoir mis un préservatif, le rapport commence. Je ne me souviens plus bien, mais ses réactions ne me semblent pas changer de d'habitude, elle ne montre quasiment jamais rien et là non plus. Mais je crois que je pensais alors beaucoup plus à moi qu'à elle et je n'ai probablement pas su voir ses réactions... Elle ne m'a rien dit après. Et on est restés ensemble encore plusieurs mois après ça, sans que rien ne se passe vraiment mal, en ayant des rapports sexuels sains, consentis et entrepris par elle à de nombreuses reprises. Pour moi tout allait bien. C'est au moment de la rupture qu'elle m'envoie ce message parmi les autres qui dit que je l'ai violée, ou qu'elle a l'impression que je l'ai violée. C'est une claque pour moi. Je ne m'en étais pas rendu compte et jamais je ne pensais que j'aurais été capable d'aller aussi loin. Je suis aussi un agresseur. Moi qui me pensais à l'écoute des femmes, des corps, moi qui me pensais sensible, doux et attentionné... Et aujourd'hui, à force de me renseigner, je comprends tout de la culture du viol, de cette incompréhension que nous avons, nous les hommes conformés, face au "non". Et je comprends qu'effectivement, je l'ai violée. Alors je m'en veux aujourd'hui et je sais que jamais ça ne se reproduira et que je suis bien plus conscient de cette problématique et de à quel point elle est ancrée profondément, parfois cachée derrière nos bons sentiments. »

Pierre, 27 ans aujourd'hui, m'a envoyé un très long texte introspectif exposant comment il avait construit sa sexualité et son désir. À l'âge de 13 ans, il viole une camarade de classe, lors d'une fête :

« J'avais toujours mes mains sur son corps. Puis j'ai commencé à vouloir l'embrasser, ce qu'elle a refusé. Et appliquant la seule méthode qui fonctionnait dans mon esprit, j'ai insisté, puis insisté, puis insisté. Je n'ai pas écouté ses "non", seul mon désir existait. Je l'avais acculé contre le capot d'une voiture, nous étions dans la rue, en pleine nuit. Et comme c'était une des rues principales pour entrer dans le village

> *je ne voulais pas qu'on nous voie et je l'avais alors entraînée dans le champ d'en face. À l'abri des regards j'ai alors continué à insister, et l'ai forcé à démarrer une fellation. Puis black-out total. Je me suis réveillé le lendemain dans mon lit. Jusqu'à présent je n'ai pas de souvenirs de l'entièreté de ce qui s'est passé cette nuit-là. [...] J'avais un sentiment étrange, partagé entre la peur sincère de lui avoir fait mal et j'étais en même temps terriblement fier d'avoir eu un début de rapport sexuel. Préliminaire que je me suis empressé de raconter à mes amis qui après m'avoir félicité se sont empressés de charrier [la jeune fille] en blaguant sur "les champs de Neuilly" qui seraient propices à la détente... »*

Puis, la jeune fille menaçant de porter plainte, il panique.

> *« J'avais déjà entendu ce mot [viol], mais jamais je ne l'avais associé à mon comportement. Je savais simplement que c'était quelque chose de très grave. Ça n'a par contre pas été un grand moment d'introspection sur ce qui clochait chez moi. C'était davantage la perspective que mes parents puissent être informés par les policiers que j'avais commis quelque chose de mal qui m'effrayait. »*

J'avoue être toujours perplexe après la lecture de tels témoignages. Je me dis que je répondrai plus tard, quand je saurai quoi répondre. Mais je ne trouve pas. J'ai donc posé la question à la militante féministe Valérie Rey-Robert, qui reçoit elle aussi de nombreuses lettres de ce type. Statistiquement, parmi vous qui êtes en train de lire ces lignes, certain·es ont commis des violences sexuelles ; et si ce n'est pas vous, ce sont vos ami·es, vos proches, vos parents. Alors si vous savez que vous avez violé, quelle est la juste attitude à adopter ?

Valérie Rey-Robert pense, et je suis d'accord avec elle, qu'aller implorer le pardon auprès d'une victime peut être nocif si vous n'avez plus de contact intime avec elle ; pour de multiples raisons, la victime peut ne pas avoir conscience qu'elle a été violée, ou ne pas du tout avoir envie d'en parler – ça serait lui faire une nouvelle violence que de lui imposer cette discussion. Pour ceux qui continuent de vivre avec la victime (dans le cas par exemple de viols conjugaux), Valérie Rey-Robert pense qu'il est important de demander à cette personne ce qu'elle souhaite. Et dans tous les cas, les violeurs devraient s'interroger eux-mêmes sur les raisons qui les ont poussés à commettre ces actes, mais sans se déresponsabiliser.

Car là est le grand écueil : il ne s'agit pas d'utiliser le concept de culture du viol pour se déresponsabiliser ; *Ce n'est pas ma faute, c'est la culture du viol ; Je ne savais pas, je n'avais pas compris ; Tout mon environnement m'a poussé à violer.* Pour moi cela n'a d'utilité que si c'est le début d'un processus de remise en question profonde de ses comportements, de ses pratiques, de ses valeurs.

> *« La seule question concernant le viol qui devrait nous préoccuper c'est : comment faire pour que cela ne se produise plus »*

Plus généralement, je pense qu'il serait extrêmement utile que ces paroles, ces comportements soient étudiés en France où, à ma connaissance, aucune étude n'a été faite sur les violeurs. Il faut qu'on connaisse, en détail, leurs profils, ce qui les pousse à passer à l'acte, s'ils commettent d'autres actes de violence, etc. – parce que si on ne les connaît pas, alors comment réussir à empêcher que cela arrive ? À faire en sorte que cette insupportable violence cesse ? Car c'est la seule question concernant le viol qui devrait nous préoccuper, collectivement : comment faire en sorte, le plus vite possible, que cela ne se produise plus.

SORTIR DE LA CULTURE DU VIOL ?

Si on veut sérieusement lutter contre le viol, c'est donc toute notre culture que nous devons changer (notre façon d'élever les garçons, de les socialiser ; d'où l'importance de lutter contre les stéréotypes de genre, dès l'enfance) mais aussi toutes les structures sociales et les institutions (police, justice) qui rendent les viols possibles, si fréquents et largement impunis. Nous devons faire ce douloureux travail d'introspection, de révolutions personnelles et collectives. La rédaction de ces pages a été à la limite du supportable pour moi ; moi aussi, comme femme socialisée dans l'hétérosexualité, je préférerais mille fois continuer à croire à l'illusion dans laquelle j'ai grandi d'une sexualité librement choisie, à laquelle j'aurais toujours consenti, sans aucune contrainte.

Pourtant, je suis certaine qu'il faut sans cesse s'interroger sur les conditions matérielles et psychologiques, qui contraignent et orientent notre désir et notre consentement.

Nous n'avons pas toustes, en fonction de notre position sociale, de notre place dans les rapports de domination, les mêmes capacités à consentir et à désirer. Lorsque l'on est socialisée comme femme et qu'on nous éduque à faire plaisir et à rendre la vie agréable aux autres, sommes-nous assez armées pour percevoir notre propre désir et lui accorder autant de place qu'au désir de l'autre ? Quand toute notre société nous répète que le sexe c'est important, positif, que "la pipe est le ciment du couple"[121] , et que les hommes ont "des besoins" qu'il faut contenter (sinon "il ira voir ailleurs") ? Quant aux hommes hétérosexuels, sommés d'accumuler les relations sexuelles pour prouver leur virilité, de désirer en toutes circonstances toutes les femmes avec qui ils auraient la possibilité d'obtenir des rapports sexuels, de quel pouvoir de réflexivité disposent-ils sur leur propre désir ?

Parfois, il m'arrive de douter de l'utilité du travail que nous faisons, nous les féministes, pour expliquer, identifier, convaincre. Le problème est-il vraiment que les hommes ne sont pas assez convaincus que c'est mal de violer ? Je ne crois pas. Je crois que si le viol est le crime le plus courant dans nos sociétés, c'est, comme pour le harcèlement sexuel, parce que ces hommes ont le droit de le faire. Parce que toute leur socialisation les convainc que leur désir est plus important que celui de l'autre. Peut-être que tous nos efforts de pédagogie ne suffiront pas. Peut-être que pour empêcher les viols, il faudra en passer par la violence et la force – et je repense aux mots de Virginie Despentes dans *King Kong Théorie* : « Le jour où les hommes auront peur de se faire lacérer la bite à coups de cutter quand ils serrent une fille de force, ils sauront brusquement mieux contrôler leurs "pulsions masculines", et comprendre ce que "non" veut dire. »

Pour ma part, je suis convaincue que ce qui pourrait faire bouger les choses, c'est qu'émerge un mouvement d'hommes qui se désidentifient de cette masculinité violente. Non pas des hommes qui

121. En couverture de *Elle*, 20 juillet 2012.

clament qu'ils n'ont "jamais rien fait", "#Not All Men", que les violeurs ce ne sont pas eux mais les autres, mais un mouvement d'hommes qui, comme le disait le philosophe Paul B. Preciado lorsque je l'ai reçu, disent : « Je ne veux plus être identifié en tant qu'homme par l'usage légitime de la violence, je veux une autre définition de la masculinité, je me désidentifie, par mes pratiques, par ma mentalité, par mes façons d'être, de cette masculinité souveraine et violente. »

POUR ALLER PLUS LOIN

- *Souvenez-vous, résistez, ne cédez pas*, d'Andrea Dworkin (éditions Syllepse)
- *Le harcèlement sexuel*, de Muriel Salmona (PUF)
- *Se défendre, une philosophie de la violence*, d'Elsa Dorlin (Zones)

Encore une fois, l'arme principale, c'est le savoir. Si vous êtes un homme et que vous voulez vraiment combattre le viol, éduquez-vous. Écoutez les victimes, celles qui vous entourent, et celles qui témoignent dans les documentaires et les journaux. Soyez intransigeants avec vos proches et irréprochables dans vos pratiques. Lisez des livres d'analyse sur les violences sexuelles, comme l'excellent essai de Valérie Rey-Robert, qu'elle est venue présenter dans l'épisode 37, Les vrais hommes ne violent pas *– un titre ironique, car on a vu que le viol pouvait en fait servir à prouver sa virilité… Extraits choisis.*

Les vrais hommes ne violent pas

En combattant depuis plus de vingt ans les violences sexuelles, Valérie Rey-Robert, militante féministe, a développé une expertise précieuse et reconnue sur ce sujet. Depuis 2008, bénévolement, elle assure un immense travail d'éducation et de pédagogie féministe sur son blog www.crepegeorgette.com, devenu une référence : ses articles sont extrêmement documentés, d'une lucidité radicale, et m'ont toujours ouvert les yeux. Je lui dois beaucoup.

Je la suis aussi sur Twitter (@valerieCG), où j'admire chaque jour son "féminisme à balles réelles", ses analyses percutantes de l'actualité, et ses réparties cinglantes contre les masculinistes et autres fâcheux qui viennent la chercher. En 2019, son essai *Une culture du viol à la française* m'a impressionnée par la richesse de ses analyses : elle y démythifie notre patrimoine littéraire et artistique, et démontre, point par point, qu'il est possible de déconstruire les stéréotypes de genre et d'éduquer les hommes à ne pas violer.

La culture du viol existe dans tous les pays du monde. Elle présente cependant des particularités bien spécifiques selon le milieu dans lequel elle s'exprime et se développe. Quelles sont les spécificités de notre culture du viol en France ?

L'historienne américaine Joan Scott rappelle qu'une partie de l'identité nationale française est fondée sur la pratique de la séduction. De fait, dès qu'on parle de violences sexuelles et de viol, une batterie d'éditorialistes viennent nous rappeler que la France est le pays de l'amour courtois, de la grivoiserie, du doux commerce entre les sexes. Si dans beaucoup de pays il est possible de dénoncer les violences sexuelles, en France cela implique de convoquer cinq cents ans de littérature, quatre cents auteurs classiques et mille ans de civilisation !

On a entendu ces mêmes discours au moment du hashtag #BalanceTonPorc, qui était l'équivalent français de #MeToo… Des voix se sont même élevées pour comparer la dénonciation des violences sexuelles à la délation de Juifs sous le régime de Vichy.
Cette dernière comparaison en dit long sur deux points. D'abord, oser comparer les deux situations, c'est oublier que les Juifs qui ont été dénoncés puis déportés avaient pour seul tort d'être juifs. Ils étaient innocents, contrairement aux hommes dénoncés pour des violences sexuelles. Cela revient à relativiser le génocide des Juifs. Ensuite, cela implique que les femmes et les hommes qui balançaient leur porc étaient, en quelque sorte, des traîtres à la nation. J'entends parfaitement qu'on puisse critiquer le hashtag, qu'on puisse critiquer le mot « balance »… Mais pourquoi choisir systématiquement cette référence à la collaboration avec les nazis ? J'ai l'impression que ceux qui ont établi cette comparaison considéraient, inconsciemment, que dénoncer les violences sexuelles en France, c'était être traître à la nation. Pourquoi ? Parce qu'en France, contrairement à d'autres pays, on assume parfaitement l'ambiguïté sexuelle. On aime une femme qui dit non en pensant oui ; on aime – voire, on revendique – une certaine violence entre les sexes. Pour ces éditorialistes qui nous comparaient aux collabos, nous n'avions rien compris à la façon dont on fait l'amour en France. Notre culture du sexe est certes empreinte de violence mais au fond, disent-ils, c'est très bien comme ça, il n'y a rien à changer.

Ce serait une marque de culture, de distinction, presque de raffinement ?
Oui ! Regardez le cas de Dominique Strauss-Kahn. Alors même qu'on savait de quoi il était accusé – des actes exceptionnellement violents [alors candidat à la présidence de la république, il a été mis en examen pour viol sur une femme de chambre à New York] – on a continué à le comparer à un gentleman français libertin, un homme extrêmement courtois. En 2011, les éditorialistes qui ont pris sa défense expliquaient aux féministes et aux Américains qui l'avaient arrêté que, en gros, ils ne comprenaient rien à ce qui s'était passé, et que l'amour c'est ça. Mais si l'amour à la française, ce sont les actes violents commis par DSK, qu'on me permette de m'étonner…

Penchons-nous donc sur ce fameux « art d'aimer à la française », et remontons à la racine de ce qu'on appelle la courtoisie… En quoi consiste donc cet amour courtois qui naît au XIIe siècle ? À quoi ressemble une relation dans le « fin'amor » ?
Précisons d'abord que le grand historien du Moyen Âge Georges Duby, qu'on ne saurait qualifier de féministe, explique que les récits d'amour courtois sont avant tout des récits écrits par des hommes pour des hommes. Ce sont des récits fantasmés, sublimés, et qui se lisent entre hommes. Il faut aussi rappeler que l'amour hétérosexuel entre un homme et une femme prend très peu de place au Moyen Âge. Ce qui importe le plus, ce sont les rapports d'amitié entre hommes. Nous sommes pleins d'idées reçues sur cet amour courtois…

L'image que j'en avais, c'était une gente dame courtisée par un chevalier prêt à se battre pour elle, qui lui offre des fleurs et lui chante des poèmes...
Tous les historiens montrent qu'au Moyen Âge il n'y a pas de don sans contre-don. Si le chevalier fait don de sa personne à une femme, elle se retrouve donc dans l'obligation de répondre à sa demande tout en sachant qu'elle risque la mort – et que lui-même risque la mort. Ce qui est intéressant dans l'amour courtois, c'est surtout le fait que le chevalier s'oppose à son seigneur. Parce que la dame en question est plus âgée, et déjà mariée à un seigneur. Dès lors, l'enjeu est moins l'amour entre un homme et une femme, que la rivalité entre deux hommes. On constate aussi dans de nombreux récits des histoires de viols qui sont passés rapidement sous silence. Je crois donc qu'il faut faire très attention à ne pas fétichiser ces œuvres médiévales, et les lire avec un regard critique.

Vous citez l'exemple du roman *Lancelot*, de Chrétien de Troyes. Gauvain y tue un chevalier, après quoi il viole la demoiselle qui était sous la protection de ce dernier. Il tue le père du chevalier, puis ses frères... Par la suite, il se réconcilie avec le dernier frère, mais n'épouse pas pour autant la fille qu'il a violée. C'est tout de même incroyable de voir comment cette relation profondément inéquitable et violente a été transformée en summum du commerce entre les sexes !
Eh oui. Parce qu'on reste sur l'idée que l'homme propose et la femme dispose. Voilà une formule qu'on entend un peu partout, et qui est encore valable dans les codes de l'amour hétérosexuel. Sans qu'on se demande si la femme a réellement les moyens de disposer, si elle a vraiment le choix.

Faisons un bond de cinq siècles et parlons maintenant des *Liaisons dangereuses*. S'il est une figure emblématique du séducteur à la française, c'est bien le vicomte de Valmont : cultivé, intelligent, rusé... J'ai lu le livre quand j'étais adolescente, il m'agaçait un peu, ce vicomte, mais je n'arrivais pas à saisir pourquoi. J'ai relu le roman cet été, et ça m'a sauté aux yeux : en fait de grand séducteur, Valmont, c'est surtout un insupportable forceur ! Et ses lettres ne sont pas du tout des sommets de raffinement : il ne cesse d'insister. Si on lit bien le texte, il ressemble au mec d'aujourd'hui qui enverrait des textos tous les jours, en mode harceleur : « S'il te plaît s'il te plaît s'il te plaît, et si t'es pas d'accord je vais le faire quand même. » Et la scène – fameuse – avec Cécile de Volanges, que vous décrivez dans votre livre... c'est une scène de viol !
Oui. Valmont demande à entrer dans la chambre de la jeune Cécile de Volanges, et il la met dans une situation où elle ne peut ni crier ni le repousser, donc elle n'a d'autre choix que céder. Les travaux féministes ont bien montré depuis que céder n'est pas consentir, mais cette scène-là ne nous est jamais présentée comme un viol.
Alors qu'elle dit non ! Elle dit toujours non, mais il finit par entrer dans sa chambre, et la menace – si elle appelle à l'aide – de dire que c'est elle qui l'a fait entrer...
... auquel cas sa réputation serait ruinée et

elle ne pourrait plus épouser personne, sa vie serait perdue. C'est extrêmement intéressant qu'on continue à nous le présenter comme le séducteur français type – même les adaptations américaines au cinéma à la fin des années 1980 ne proposent aucune critique du personnage. Mais les choses évoluent, et je pense qu'aujourd'hui les Américains verraient les choses un peu différemment. Dans mon livre, je cite le chercheur Maxime Triquenaux, qui montre le danger qu'il y a à fétichiser certaines œuvres classiques et à refuser de les étudier sous le prisme du genre. On peut lire une œuvre classique et la critiquer, ça ne lui ôtera pas sa valeur. Par ailleurs, Choderlos de Laclos met également dans la bouche de la marquise de Merteuil des paroles claires où elle explique que les femmes ne peuvent jamais être gagnantes au jeu de l'amour. On peut donc aussi considérer – et c'est le cas de certaines féministes – que Laclos défendait dans son livre une position féministe.

À la même époque que *Les Liaisons dangereuses*, on trouve les tableaux de Fragonard, et notamment *Le Verrou*, que vous étudiez dans votre livre. On y voit une femme qui semble repousser un homme du bras et, sur la droite, la porte que l'homme vient de refermer... Ce tableau a très souvent été décrit comme étant la représentation d'un état de transport amoureux – et le fait que la femme résiste paraissait érotique. Alors qu'il me semble bien, à revoir le tableau, qu'elle n'est réellement pas d'accord. Or, vous notez qu'il y a quelques années, c'est ce tableau qui a été choisi pour illustrer l'affiche d'une expo intitulée « Fragonard amoureux ». Voilà qui montre à quel point le non-consentement est perçu comme excitant dans notre culture.

C'était en 2015, au musée du Luxembourg à Paris. On y trouvait des tableaux et des esquisses dont le titre était explicitement : « viol » : dans une expo sur le thème de l'amour, c'est une première surprise. Quant au *Verrou*, les historiens de l'art sont partagés. Est-ce un adultère ? Est-ce un viol ? Le commissaire d'exposition était parfaitement au courant de cette controverse, et il n'en a pas moins choisi ce tableau. Voilà qui est extrêmement intéressant ! Cela nous dit que lui-même ne voit pas réellement de problème à ce qu'un tableau qui est potentiellement un viol puisse illustrer le titre « Fragonard amoureux ». Le viol serait, au fond, proche de l'amour... Un autre tableau intéressant, intitulé *La Résistance inutile*, montre une soubrette renversée sur un lit par son maître. Immédiatement, on repense à DSK : que peut faire une soubrette du XVIIIe siècle ou une femme de ménage du XXIe face à quelqu'un d'infiniment plus puissant qu'elle, qui a les moyens financiers de se protéger ? On peut se demander où est l'amour entre une servante et son maître quand elle n'a pas la possibilité de dire non.

DSK, donc... Lui s'est défendu en disant qu'il avait une « sexualité un peu plus rude » que la moyenne. Et on se souvient de l'expression de l'ancien directeur de *Marianne*, qui au sujet de cette affaire parlait d'un simple « troussage de domestique ».

Encore une expression qui relève de la tradition française. On dit qu'on « troussait les domestiques » au XVIIIe – mais dans les faits, on les violait. Dès lors qu'elles n'avaient pas le pouvoir de dire non, c'est un viol, bien sûr. DSK s'est défendu en disant qu'il était séducteur et qu'il ne s'agissait que de cela.

Et ce n'est pas le seul à invoquer la « séduction à la française » ! On peut citer Claude Lanzmann, par exemple, grand cinéaste et néanmoins accusé à de multiples reprises d'agression sexuelle. De lui, les journaux ont dit qu'il était un séducteur brusque, narcissique insatiable…
C'est une tendance en France, pour certains types d'hommes, à confondre sexe consenti et sexe violent… Mais curieusement, quand il s'agit de Tariq Ramadan [intellectuel musulman accusé de viol], soudain plus personne ne confond. On peut s'en réjouir dans le cas de Ramadan – mais pour d'autres hommes aux pratiques tout aussi violentes (d'après ce qu'ont raconté les victimes), pourquoi s'empresse-t-on de confondre les deux ?

Les violences sexuelles, expliquez-vous, sont aussi utilisées pour définir des figures repoussoir de la masculinité. Car le violeur, c'est toujours l'autre. Ce que vous montrez très bien avec l'exemple des "tournantes", dans les années 2000, où des viols collectifs dans les banlieues ont déclenché un tollé médiatique et politique.
L'idée est en effet apparue dans les années 2000 qu'il y aurait énormément de viols collectifs commis par des « jeunes de banlieue » – expression à travers laquelle on désigne bien sûr les jeunes Noirs et les jeunes Arabes… Et pourtant, à l'époque, tous les sociologues ont démontré qu'il y avait certes des viols collectifs, mais qu'ils avaient toujours existé et qu'il n'y avait aucune augmentation. Cela n'a pas empêché les politiques, Front national en tête, de nous vendre l'idée de quartiers populaires où soudain les jeunes Noirs et Arabes passeraient leur temps à violer à quinze d'innocentes jeunes femmes. Cette idée sera largement exploitée dans les médias, le terme de "tournante" va s'imposer au lieu de parler de viol collectif, et elle renforcera la stigmatisation des jeunes Noirs et des jeunes Arabes, dont la masculinité [serait] négative, misogyne, obsédée par l'idée de baiser des femmes – en particulier les femmes blanches – et ne reculant devant rien, y compris le viol.

On voit bien là comment les violences sexuelles servent à disqualifier la masculinité des autres. Gérard Depardieu a évoqué dans plusieurs interviews des viols collectifs qui avaient lieu dans la ville où il a grandi, Châteauroux. J'ai notamment retenu ce passage : « Ces viols quand j'étais môme doivent sans doute exister encore, dans les fêtes foraines ou les bals de village, quand les mecs sont en bande avec des filles plus ou moins consentantes »… Et il ajoute : « Ça n'a rien à voir avec un viol dans un train de banlieue ou avec ces pauvres filles victimes de tournantes dans les caves de cités, non : c'était des nanas qui faisaient partie de la bande, et puis un soir tout ce petit monde boit un coup de trop, ça s'échauffe et voilà. » Mais des viols collectifs, peu importe où, comment et avec qui ils ont lieu, ça reste des viols collectifs !

C'est toujours le même schéma. Quand des viols sont commis par des proches – voire quand on y a participé – on a tendance à ne plus les qualifier comme tels. On dit qu'on a une sexualité rude, qu'on s'est chauffés un peu trop... Mais quand les viols sont commis par les autres (le pauvre, l'homme racisé, l'homme de pouvoir... selon son point de vue !), alors on emploie le terme de viol.

Ce qui permet de se refaire une image de sa bonne masculinité. Cela revient à dire : « Nous, on n'est pas comme ça ; les vrais hommes ne violent pas. »
Voilà. Si on étudie la filmographie de Clint Eastwood, par exemple, on constate que le viol y est extraordinairement présent. Il passe son temps à punir des violeurs, confortant ainsi sa masculinité pour incarner le *tough guy* américain... Parallèlement, lui aussi commet des viols – mais ils ne sont jamais vus comme tels puisque invariablement les femmes en ressortent comblées, souriantes et amoureuses de lui – alors qu'elles ressortent traumatisées des viols commis par les méchants qu'Eastwood finira par tuer. C'est extrêmement intéressant : il y a là toute une reconstruction de la virilité sur le dos des hommes violeurs ou qui commettent des actes misogynes. Au lieu de se questionner sur la virilité elle-même, on va plutôt considérer que ce sont des formes mauvaises ou déviantes de virilité qui produisent du viol, et non la virilité elle-même. Plein d'hommes vont ainsi se reconstruire une image sur le dos de violeurs en disant : « Moi je ne viole pas, ça veut dire que ma virilité est la bonne, alors que ceux qui violent sont des hommes déviants, tarés, pas virils. »

Beaucoup d'hommes, d'ailleurs, n'ont pas de mots assez violents pour dire ce qu'ils aimeraient faire à des violeurs : il faut les mettre en prison, les zigouiller, les castrer...
La castration revient très souvent, ça en dit long. J'ajoute, comme on l'a dit tout à l'heure, que la violence interpersonnelle entre hommes est en partie responsable des violences sexuelles. Considérer qu'il faut punir les violeurs par la violence, voire le viol, ne fait que contribuer à entretenir une atmosphère de violence, laquelle entretient elle-même les violences sexuelles. C'est vraiment contre-productif.

Vous évoquiez le cas de Tariq Ramadan. Lorsqu'il a été accusé de viols et d'agressions sexuelles, on a tout de suite fait le lien avec le fait qu'il soit musulman.
Lorsque des hommes célèbres ont été accusés de viol en France, la plupart des éditorialistes ont cherché à les excuser. Dans le cas de Tariq Ramadan, les victimes ont tout de suite été crues. En tant que féministes, on aurait pu être contentes, mais on s'est étonnées du traitement extrêmement différencié des unes et des autres. Dans le cas de Tariq Ramadan, on a vu de très longs éditos entièrement consacrés à sa pratique de l'islam. Voulait-on dire par là que l'islam était responsable des actes que Tariq Ramadan avait commis ? Je veux bien, mais il faudrait le prouver... Et pour qui est un peu expert des violences sexuelles, quand on étudie les violences commises par Tariq Ramadan, on constate bien que c'est un prédateur tout à fait lambda, qui a utilisé son pouvoir et sa

« cour » de fans pour essayer de faire taire des femmes. Il n'y a rien que de très classique là-dedans. Et quand il a été accusé, il a eu des soutiens extrêmement forts qui s'en sont pris à la victime et ont crié au complot. Là encore, on a lu dans la presse que c'était bien spécifique aux Arabes que de défendre un violeur, mais il n'y a rien de spécifique là-dedans ! En gros, Les soutiens de Tariq Ramadan le qualifiaient de pauvre innocent, ils accusaient la victime d'être une salope, avec un gros complot sioniste au milieu de tout ça. Ce sont des idées très courantes ! Dans le cas de DSK aussi, il y a eu des théories du complot. Pareil dans le cas de Gérald Darmanin [accusé de viol et de harcèlement sexuel alors qu'il était ministre de l'Action et des Comptes publics] : à une heure de grande écoute, Elkabbach lui a demandé : « Mais qui vous en veut autant pour vous faire un coup pareil ? » Tous les hommes célèbres accusés de viol ont des soutiens qui vont crier au complot. Rien de spécifique à Ramadan, donc. Ce qu'on constate, c'est que les victimes et le combat contre les violences sexuelles ont été instrumentalisées pour faire tomber un homme dont on n'aime pas la façon dont il pratique l'islam. Pourquoi instrumentaliser ces violences-là, à ce moment-là ? Cela donne une impression de malaise profond, et d'islamophobie.

ESQUIVES

« (For) the master's tools will never dismantle the master's house »

(Les outils du maître ne détruiront jamais la maison du maître)

Audre Lorde, *Sister Outsider: Essays and Speeches*, 1979

« Ooh… I feel love »

Donna Summer, 1977

Maintenant se pose la question la plus intéressante : que faire ?

Gloria Steinem, activiste féministe américaine que j'admire infiniment, conseille, dans ses *Actions scandaleuses et rébellions quotidiennes*, de ne jamais terminer un livre sans proposer d'idées concrètes : je m'en vais suivre son exemple. Avec optimisme (sans quoi la lucidité sur l'état de la misogynie deviendrait insupportable), et pragmatisme (puisqu'on va toustes mourir, autant commencer à agir maintenant sur ce qui est à notre portée).

Je me concentrerai sur trois pistes de travail principales – la sexualité, l'éducation, et la question de l'engagement proféministe des hommes –, et sur la dimension individuelle des actions à mener. Car, même s'il apparaît clairement que la domination masculine, et les dominations de classe ou de race, ne pourront être abolies sans de profonds bouleversements politiques, nous n'allons pas attendre les bras croisés que la révolution arrive.

J'ai beaucoup insisté sur les liens entre le collectif et l'individuel : on sait combien ces deux dimensions s'influencent sans arrêt mutuellement, et je ne crois pas au primat de l'un sur l'autre. Je crois, en revanche, à la force de l'exemple.

Voici donc quelques pistes de diversion, de subversions, d'esquives. Esquiver, ce n'est pas fuir, se dérober, mais faire face, avec souplesse, chacun·e avec ses propres moyens.

Repenser la sexualité

Après plusieurs dizaines de pages consacrées aux violences sexuelles, j'aimerais commencer cette dernière partie en parlant de sexe heureux, joyeux, désiré.

Dans l'émission, j'ai toujours eu à cœur de ne pas seulement dénoncer, mais aussi d'imaginer des futurs enviables. Voilà ce que nous allons faire dans les pages suivantes (parce qu'on ne va pas attendre la fin du patriarcat pour jouir et faire l'amour).

REPENSER LE DÉSIR

Commençons par le consentement : c'est le mot que j'ai utilisé tout au long du livre, mais il est temps de dire que ce mot ne convient pas, car il suppose que l'un propose et que l'autre réponde, et il perpétue la vision d'un rapport hétérosexuel où l'un est actif et l'autre passive. Dans une perspective de réinvention des relations, je préfère parler de désir réciproque exprimé librement, qui dans l'idéal devrait l'être de façon explicite, enthousiaste et continue.

Prendre conscience des prescriptions de rôles sexuels dans lesquelles nous sommes englué·es (par exemple : les hommes seraient censés vouloir "baiser" tout le temps et une occasion serait toujours bonne à prendre / les femmes ne pourraient ressentir de désir sans être amoureuses) me paraît être la première étape indispensable pour pouvoir imaginer d'autres relations.

De même, prendre conscience que nous ne sommes jamais de purs individus, mais que toutes nos interactions sont influencées par la position de pouvoir que l'on occupe dans l'espace social, permet d'avoir une vision plus claire des enjeux d'une relation de séduction ou sexuelle. Il faudrait donc toujours pouvoir évaluer comment les différences d'âge, de profession, de notoriété, de force physique, de capital économique ou culturel, de personnalité, de beauté, de santé physique et mentale... participent aux dynamiques de pouvoir d'une relation. Une jeune femme n'a probablement pas la même confiance en elle qu'un homme mûr, quelqu'un de célèbre qu'un·e inconnu·e, etc. Il faut beaucoup de clairvoyance et d'empathie pour évaluer correctement les rapports de pouvoir en jeu, surtout dans une relation qui débute.

Ces prises de conscience permettent aussi de percevoir plus finement son propre désir. Ai-je vraiment envie de cette relation sexuelle ? Est-ce que je me sens obligé·e parce que j'ai dragué cette personne ? Que ça lui ferait tellement plaisir ? Ou, dans une relation longue, *parce que ça fait longtemps qu'on ne l'a pas fait, quand même* ? Ça demande ensuite d'être capable de le verbaliser, a fortiori quand on ne connaît pas bien la personne – pas forcément en demandant l'autorisation pour chaque geste, mais au moins en formulant ce dont on a envie. Voir ce que ça fait à l'autre, comment ielle réagit. *J'ai envie de t'embrasser. J'ai envie de toi. Est-ce que tu te sens bien ? Ça te plaît ce que je te fais ? Ça va ? Tu es sûr·e ?* Toutes ces propositions devant laisser une vraie possibilité à l'autre de s'exprimer. Si l'autre se sent obligé·e d'accepter, parce que vous lui mettez la pression (*Tu m'as tellement chauffé·e, tu vas pas me laisser dans cet état !*), parce que vous faites du chantage affectif (*Ça veut dire que tu m'aimes plus*) ou parce que vous estimez qu'on vous doit quelque chose (*Je t'ai payé le resto !*), vous réduisez les possibilités qu'ielle s'exprime librement. Le sexe n'est pas une récompense pour avoir été gentil·le. Personne ne doit rien à personne, ni attention, ni activité sexuelle. Même si on a été tendre, prévenant·e, si on a fait la vaisselle, si on a payé le resto, si vous êtes marié·es depuis quinze ans. L'expression du désir devrait être continue, parce qu'une relation sexuelle n'est pas un train dans lequel on monte et dont on ne peut pas descendre : ce n'est pas parce qu'on a embrassé quelqu'un qu'on est obligé·e de coucher avec. On devrait être en mesure d'arrêter quand on veut, sans craindre les réactions de l'autre.

« Les réflexions féministes nous ouvrent donc d'immenses territoires de réinvention, de créativité dans nos pratiques de séduction et d'érotisme. »

Il me semble que les productions culturelles, si elles faisaient plus souvent l'effort de proposer d'autres représentations du désir, de la séduction, de la sexualité, nous permettraient de mieux les incarner dans nos propres vies. Or les scènes de baiser, de sexe ou de séduction dans les films ou les séries suivent elles aussi des scripts convenus (et pas très réalistes) : le plus souvent, les deux personnages se jettent l'un sur l'autre sans parler, enlèvent leurs vêtements le plus vite possible (pourquoi ? !), se retrouvent au lit, ont une relation sexuelle, et on les retrouve au plan d'après, heureux, la femme couverte d'un drap jusqu'à la poitrine, l'homme torse nu. Super. Peut-être que dans la vraie vie, cela se passe parfois comme ça. Mes propres expériences et celles que me racontent mes ami·es m'en font douter : c'est souvent plus lent. Plus maladroit. Il y a des moments gênants. On se parle beaucoup plus. C'est pourquoi il était si rafraîchissant de voir apparaître des scènes de sexe comme celles de la série *Girls*, de Lena Dunham[122] : avec des corps ne correspondant pas aux canons physiques dominants, des fous rires, des maladresses, des pratiques diverses.

122. Et tant d'autres, analysées par Iris Brey dans *Sex and the series*, L'Olivier, 2018.

Les réflexions féministes nous ouvrent donc d'immenses territoires de réinvention, de créativité dans nos pratiques de séduction et d'érotisme. Je sais que c'est possible, je le vis et je l'expérimente : c'est libérateur. Ça ne casse pas du tout ni le désir ni l'ambiance – au contraire. Ce n'est pas être parano (*Est-ce que je suis en train de la violer ?*), ce n'est pas être procédurier (demander *Est-ce que je peux faire ci ou ça ?* à chaque geste) ; c'est se soucier, de plein de façons différentes, du désir, du bien-être, du confort et du plaisir de l'autre (et du sien aussi). Et ça, c'est incroyablement excitant. Ça va sans dire, mais on a aussi le droit de ne pas s'intéresser à la sexualité ou de ne pas avoir d'activité sexuelle.

ESQUIVER LES SCRIPTS HÉTÉROSEXISTES

Dans l'épisode *Pénétrer*, nous nous sommes interrogés avec l'écrivain Martin Page sur les représentations de la sexualité hétérosexuelle la plus ordinaire, la plus banale, celle qui n'est jamais questionnée parce que vue comme évidente, celle avec laquelle nous avons tous et toutes grandi : faire l'amour, baiser, avoir une relation sexuelle, est largement synonyme d'un coït pénis-vagin, qui se termine par l'éjaculation masculine. Toutes les autres pratiques étant soit taboues (pénétrer les hommes), soit reléguées dans la catégorie de “préliminaires”, comme s'il ne s'agissait que d'un simple apéritif précédant l'acte sexuel le plus important. Cette croyance imprègne notre culture et notre langage : le coït est sous-entendu quand on dit qu'on “l'a fait”, qu'on est “allés jusqu'au bout”, qu'on a “conclu”. C'est par rapport à cet acte qu'on pense la virginité (et la masculinité) : pour un homme, on n'est plus un “puceau”, comme on le dit vulgairement, quand on a pénétré un vagin avec son pénis. Dans la culture nord-américaine, la métaphore du base-ball qui sert à décrire chacune des étapes d'une relation sexuelle le montre bien aussi : *first base* c'est embrasser, *second base*, toucher les seins, *third base* le sexe, *home run/home base* c'est le coït : là encore la pénétration est vue comme le but, la fin du match.

Dans son très beau texte, *Au-delà de la pénétration*[123], Martin Page commence par souligner l'apparente naturalité de la pénétration, et l'immense plaisir qu'il y prend : « La pénétration a tout pour plaire, cet emboîtement bien pratique rappelle les jeux de construction. » Pourquoi alors la remettre en question ? D'abord parce qu'elle peut être

123. À reparaître aux éditions Le Nouvel Attila en janvier 2020.

parfois douloureuse, impossible ou désagréable : anxiété, problèmes d'érection, fatigue, maladies physiques, souvenir de relations sexuelles passées peu satisfaisantes... Ensuite, parce que si elle est un moyen très efficace pour un homme d'obtenir un orgasme (atteint dans neuf cas sur dix), elle l'est beaucoup moins pour les femmes : seules 26 % des Françaises déclarent jouir « très facilement » grâce à une pénétration vaginale au sens strict[124]. Finalement, analyse Martin Page :

> *« Le but de la pénétration, au fond, n'est pas vraiment le plaisir des deux partenaires, mais en premier lieu celui de l'homme, puis éventuellement celui de la femme (d'ailleurs la pénétration cesse généralement quand l'homme a atteint son plaisir). C'est l'instauration d'une relation inégalitaire comme modèle. Imagine-t-on que si seuls 30 % des hommes parvenaient à jouir par la pénétration d'un vagin avec leur pénis, cette pratique serait aussi centrale ? »*

Des auditeurs courroucés par cette discussion m'ont écrit que si le coït était la pratique la plus répandue, c'est parce que c'était la plus "naturelle" puisqu'elle permettait la reproduction humaine. Cet argument me laisse perplexe. Comme le résume parfaitement Maïa Mazaurette dans une de ses chroniques :

> *« La norme, pendant un rapport sexuel, c'est de ne pas vouloir faire de bébés. Si nous cherchons à reproduire l'espèce pendant 1 % de nos rapports sexuels, c'est un grand maximum : de fait, nous dépensons une énergie folle à éviter d'avoir des enfants. Et pourtant. Ces 1 % de rapports à but procréatif informent les pratiques des 99 % de rapports non procréatifs (auxquels, du coup, nous ajoutons des contraceptifs... tout est normal). Avec à la clef, une décision pour le moins extravagante : à des fins de plaisir, nous utilisons une technique reproductive qui ne donne pas tant de plaisir que ça. Autant utiliser des baguettes chinoises comme un rouleau à pâtisserie.*[125]*»*

Cette norme sexuelle de la pénétration obligatoire par un pénis est aussi celle à l'aune de laquelle on évalue toutes les autres pratiques. C'est

124. Enquête de l'Ifop effectuée auprès d'un échantillon représentatif de 8 000 femmes pour CAM4, décembre 2015.
125. Maïa Mazaurette, « De la normalité sexuelle en général, et du missionnaire en particulier », *Le Monde*, 10 février 2019.

ainsi que, pour beaucoup, les lesbiennes ne peuvent pas *vraiment* avoir de relations sexuelles (parce qu'il n'y a pas de pénis en jeu). Ou que les personnes handicapées ne pourraient pas *vraiment* avoir de sexualité, comme le faisait très justement remarquer l'avocate Elisa Rojas[126] sur Twitter :

> *«Les personnes valides posent beaucoup de questions intrusives aux personnes handicapées, notamment sur le sexe. C'est le fameux "tabou" dont on parle... tout le temps. Elle les obsède au point qu'ils sont prêts à tout pour que l'on puisse avoir des relations sexuelles. Par contre, que l'on ait de quoi bouffer, prendre le nombre de douches que l'on veut par jour, sortir de chez nous... les intéresse vachement moins. En fait, à travers les questions posées sur notre sexualité (avec la délicatesse d'un parpaing dans ta gueule) ce que les personnes valides cherchent à savoir, en vrai, c'est : "Est-ce que la pénétration est possible ou pas ?" Ils veulent en avoir le cœur net, car il est bien entendu que si la pénétration n'est pas possible, la relation sexuelle ne vaut rien. Ce n'est pas du sexe. Nous ne sommes pas supposé·es avoir une vie sexuelle, ce serait bien qu'on en ait une, mais si on a une, elle doit se caler sur celle des valides et suivre les injonctions qu'ils s'appliquent à eux-mêmes. C'est drôle d'ailleurs de penser que beaucoup de personnes valides font de leur sexualité une "référence" pour nous, alors que déjà en envisageant la pénétration comme seule sexualité valable, ils démontrent la pauvreté de leur vie sexuelle à eux... Cette idée conduit aussi malheureusement, j'ai l'impression, beaucoup d'hommes handicapés à devoir justifier qu'ils peuvent avoir une érection et peuvent pénétrer pour être considéré comme "sauvés" (ouf, ça va alors) comme des vrais hommes et ne pas être dévirilisés davantage. »*

C'est aussi parce que la pénétration est vue comme la pratique sexuelle incontournable que certaines mutilations des enfants intersexes sont justifiées, comme en témoignage l'histoire de M., enfant intersexe, auquel les médecins décident de fabriquer un vagin :

> *« Dès l'âge de 4 ans, iel doit retourner régulièrement à l'hôpital pour des séances de bougirage, où on lui enfonce des instruments ressemblant à*

126. Elisa Rojas est militante au Collectif Lutte et Handicaps pour l'Égalité et l'Émancipation. @elisarojasm sur Twitter

des bougies censés élargir son vagin. "Ils avaient des mallettes avec dix tailles de godes. Moi j'étais à poil, sous la chemise en papier d'hôpital, j'avais froid, je pleurais. Ils regardaient la taille du vagin, fallait tout le temps l'entretenir pour que je sois pénétrable... jusqu'à ce que j'aie mal", relate-t-iel en pleurant, bouleversé·e par le souvenir qui remonte à la surface. La raison de ces actes qu'iel qualifie d'actes de torture ne lui est même pas cachée. Ils me disaient : "Quand t'auras un mari plus tard, il faut que le zizi du monsieur puisse rentrer." À aucun moment les médecins n'envisagent une sexualité qui puisse s'épanouir autrement que par le prisme de la pénétration vaginale. Comme si tout était pensé non pour son futur plaisir à iel, mais pour celui de l'homme, forcément un homme, qui pourrait un jour l'accompagner.[127] »

Je ne dis absolument pas qu'il faut rejeter la pénétration, je sais qu'elle peut procurer énormément de plaisir. Ces réflexions invitent simplement à repenser la place qu'elle occupe dans la construction de nos imaginaires érotiques. Ainsi, le mot lui-même est imprégné du symbolisme homme actif / femme passive. Il est révélateur qu'on ait choisi de dire que l'homme pénétrait, et pas que la femme enveloppait. Celui ou celle qui reçoit la pénétration est tout aussi actif ou active que celui ou celle qui la donne. Quand on a un caillou dans sa main, on dit qu'on prend le caillou, pas que le caillou nous prend.

Suffirait-il de changer notre vocabulaire pour changer notre perception ? C'est l'une des pistes, suggérée malicieusement par la performeuse Bini Adamczak, qui propose de remplacer la pénétration de la femme par l'homme par la "circlusion" de la femme sur l'homme : « Le mot circlusion est facile à apprendre et facile à appliquer. Je circlus, tu circlus, iel est circlus·e. Et surtout, il est beaucoup plus pratique que pénétration. Le mot pénétration comporte quatre syllabes, circlusion en a seulement trois. Ainsi son introduction est tout à fait dans l'intérêt de l'économie. Nous gagnons du temps précieux que nous pouvons ensuite investir dans la baise.[128] »

127. Aude Lorriaux, « L'histoire de M., première personne intersexe au monde à porter plainte pour mutilations », *Slate*, 10 avril 2019.
128. « Come on. Discussion sur un nouveau mot qui émerge et qui va révolutionner notre manière de parler de sexe », *Analyse & kritik*, 2016.

LE TABOU DE "L'AUTRE" PÉNÉTRATION

Symétriquement à cette obligation de la pénétration comme preuve de la masculinité, est construite une interdiction : celle d'être pénétré.

Être pénétré, parce que c'est associé à l'homosexualité (et que la masculinité hégémonique, celle qui est légitime, celle qui est considérée comme normale, c'est toujours une masculinité hétérosexuelle) est encore vu comme une énorme transgression, une dégradation. Sinon "enculé" ne serait pas une insulte. Ou "enculeur" en serait une aussi. « Dans leur majorité, les hommes hétéros, pourtant aventureux quand il s'agit du corps de l'autre, se révèlent puritains concernant leur propre corps. Souvent ils n'hésitent pas à pousser leur compagne à tenter la sodomie, mais dès qu'il s'agit d'eux-mêmes... » fait remarquer Martin Page. Et dans un article consacré à la sexualité non pénétro-centrée, Thomas Messias complète : « Chez les femmes, refuser la sodomie est souvent considéré comme la marque d'un manque de dévouement, de fantaisie ; chez les hommes, barricader l'accès à son anus semble au contraire être une preuve de virilité.[129] » Pourtant, comme nous allons le voir, les hommes qui y répugnent auraient d'excellentes raisons de s'y intéresser : ils y découvriraient l'existence de leur prostate et les fabuleux orgasmes qu'elle peut procurer.

Contrairement aux femmes, les hommes (cisgenre) ont une prostate (dont certains ne découvrent l'existence que quand ils risquent le cancer), qu'on ne peut stimuler qu'en passant par le rectum. Il s'agit d'une glande de la taille d'une noix, responsable de la production du liquide séminal, et située au-dessus de la paroi du rectum. Elle grossit avec l'âge, et avec l'excitation. La stimulation de cette glande peut amener à des orgasmes d'une intensité spectaculaire. D'orgasmes prostatiques, il en a longuement été question dans l'épisode 24, *Les orgasmes masculins*, avec Adam, qui se définit comme un homme hétérosexuel. Il tient bénévolement le site *Nouveaux Plaisirs* et a rédigé le premier guide français de l'orgasme prostatique. Pour l'atteindre et le découvrir, Adam conseille d'utiliser un masseur prostatique, un objet de la taille d'un doigt, qui était à la base un dispositif médical destiné au traitement des prostatites (inflammations de la prostate). Une fois introduit (avec beaucoup de lubrifiant), l'objet vient masser directement la prostate via l'action de contraction des

129. Thomas Messias, « Et si on dépassait la sexualité pénétro-centrée », *Slate*, 26 mars 2019.

sphincters. Il n'y a rien d'autre à faire, rien à toucher, rien à manipuler ; juste à respirer. C'est cette action d'auto-massage du corps qui va amener l'utilisateur du masseur à l'orgasme. Plusieurs séances d'entraînement, pendant plusieurs semaines, ainsi qu'une certaine attitude de décontraction et de lâcher-prise semblent nécessaires. Il arrive à des hommes de l'atteindre à la première tentative, d'autres témoignent que ça leur a pris des années... Ceux qui obtiennent des orgasmes prostatiques les décrivent comme des vagues de plaisir d'une intensité inimaginable. Ils n'impliquent pas d'éjaculation, et souvent même pas d'érection du pénis. Contrairement aux orgasmes éjaculatoires, il n'y a pas de période réfractaire, c'est pourquoi on peut en obtenir plusieurs d'affilée, pendant plusieurs heures. Une fois la zone bien entraînée, il est même possible d'obtenir ces orgasmes sans aucune stimulation extérieure, juste en contractant ses muscles.

Des passionnés de tous les pays, de tous les âges et de toutes les orientations sexuelles, se retrouvent même pour en discuter sur un forum en ligne. L'un de mes amants, après avoir appris à maîtriser cette technique, en est d'ailleurs devenu un membre très actif, et s'est lancé dans une campagne de prosélytisme auprès de tous les hommes qu'il rencontre. Il en a parlé à tous ses amis, ses frères, ses collègues musiciens, et même à son père (!) – résultat, m'a-t-il raconté : si tout le monde est d'accord pour dire que *ça a l'air génial*, aucun homme n'a reconnu qu'il avait envie d'essayer. Trop de tabous (*Il est hors de question que je mette quoi que ce soit dans mon cul*), trop de gêne, trop peu d'intérêt (*Je passe déjà assez de temps comme ça à me masturber*). En attendant, il reste convaincu que cette pratique a changé sa vie, a bouleversé son approche de la sexualité et l'a rendu plus empathique avec ses partenaires féminines, notamment parce qu'il a compris physiquement la vulnérabilité qu'implique le fait d'être pénétré·e.

RÉINVENTER NOS SCRIPTS SEXUELS (ET AMOUREUX)

Il n'y a que des avantages à remettre en question la centralité du coït pénis-vagin. Tant de barrières, d'injonctions et de pressions sautent... y compris celles qui renforcent et enferment la masculinité hétérosexuelle. Si on arrêtait de concevoir la pénétration comme étape incontournable et ultime d'une relation sexuelle, les hommes cesseraient peut-être d'être terrorisés de perdre leur érection, de ne pas bander assez fort ou assez longtemps. On arrêterait de considérer qu'une fois que l'homme a éjaculé, la relation sexuelle est terminée ; que s'il ne bande pas, il est impossible de faire l'amour, que la taille de son pénis est fondamentale. On allégerait la corvée de la contraception – et l'angoisse de se sentir anormal·e.

Une multitude de pratiques seraient enfin considérées comme du "vrai sexe" – s'envoyer des textos érotiques, se rouler des pelles au cinéma, s'effleurer extrêmement lentement pendant des heures, se caresser les mains dans un parc, le fist-fucking, les jeux de rôle, se dévorer des yeux, s'auto-pénétrer, se masturber ensemble, jusqu'à l'orgasme ou pas : c'est du vrai sexe. Les préliminaires, c'est prendre une douche et se brosser les dents. Peut-être qu'en l'admettant, des hommes pourraient apprendre à redévelopper la sensibilité de tout leur corps, et pas seulement de leurs parties génitales. Peut-être qu'ils arrêteraient de caresser les femmes seulement en pensant que c'est "pour les préparer" (à être pénétrées).

On arrêterait de sacraliser "la première fois", de faire comme si la virginité d'une femme était son bien le plus précieux (et celle d'un homme, quelque chose dont il doit se débarrasser au plus vite). On arrêterait de se juger les un·es les autres sur nos pratiques (*Vous ne faites que vous caresser ?! Quand est-ce que vous passez aux choses sérieuses ?; Vous ne le faites qu'une fois par mois ?; Mec, t'aimes mettre des trucs dans ton cul ? Mais t'es gay en fait !*, etc.). Comme l'écrit Martin Page : « La subversion n'est pas dans ces hommes qui racontent leurs *conquêtes*, elle adviendra quand un homme parlera de son bonheur à se faire pénétrer par sa compagne ou quand il racontera l'infini plaisir qu'il a à recevoir des caresses sur sa nuque ou sur ses jambes. Et que personne ne rira, que personne ne se moquera de lui. » On pourrait enfin sortir des rôles obligatoires, réceptive / actif, soumise / dominant, pénétrée / pénétrant — je n'ai aucune préférence personnelle pour l'un ou l'autre de ces rôles, ce n'est pas une question morale pour moi, il me semble juste souhaitable que nous ayons toustes la liberté de les explorer.

Or pour l'instant on n'y est pas encore. Si les scripts hétérosexistes enferment les hommes dans le rôle de l'actif-pénétrant-dominant, cela les encourage aussi à mépriser ou à craindre les femmes qui voudraient sortir du leur (passive-pénétrée-dominée). Les jeunes filles apprennent ainsi à ne pas dire oui trop vite, trop tôt, trop libéralement, à négocier leur sexualité comme une ressource rare. À ne pas draguer, à ne pas déclarer leur désir, à attendre d'être choisies. À ignorer le fonctionnement de leur propre corps, notamment la forme et le fonctionnement de leurs organes génitaux, qui restent d'immenses tabous encore aujourd'hui, même si c'est en train de changer[130].

Représenter des clitoris et des vulves, parler des règles, encourager les femmes à s'auto-explorer comme le faisaient les activistes des années 1970, et comme le font aujourd'hui des activistes comme Clarence Edgar-Rosa[131] ou le collectif Notre corps, Nous-mêmes[132] : cela n'a pas pour vocation première d'améliorer nos vies sexuelles, mais cela y participe forcément – je serai toujours reconnaissante à ma mère d'avoir laissé traîner dès que j'ai su lire, bien en évidence dans la bibliothèque familiale, *Le Grand Livre de la femme*, qui expliquait simplement toutes sortes de processus physiologiques, et conseillait aux lectrices ce geste révolutionnaire : prenez un miroir, et regardez votre vulve.

Les réflexions et les pratiques féministes permettent de puissantes révolutions du désir. Pour les hommes, et pour les femmes, et pour les autres. Quand les magazines féminins de mon adolescence m'avaient appris à me penser d'abord comme objet de désir (si tu veux être désirée, sois donc plus mince, plus belle, plus douce), la pensée féministe m'a transformée en sujet de désir. Elle m'a permis de sortir de l'auto-objectification permanente : de prendre conscience que mon corps existait en lui-même, et pas seulement pour être regardé et touché par d'autres. Cette révélation a bouleversé toute ma vie, ma façon de faire du sport, de m'habiller, et finalement d'aimer mon propre corps : parce qu'il a une valeur intrinsèque, parce que je suis vivante. Je ne l'envisage plus comme un objet que je devrais constamment optimiser pour gagner de la valeur sur *le marché de la bonne meuf*, pour reprendre l'expression de Virginie Despentes. Cela m'a aussi permis de considérer le désir non plus comme une demande extérieure à laquelle je devrais répondre, mais comme une force vitale indissociable de ce que je suis,

130. À lire à ce sujet l'essai de Camille Froidevaux Metterie, *Le Corps des femmes : la bataille de l'intime*, Philosophie magazine éditeur, 2018.
131. Clarence Edgard-Rosa, *Connais-toi toi-même, Guide d'auto-exploraration de l'anatomie féminine*, éditions La Musardine, 2019.
132. Voir leur page Facebook et *Notre corps, nous-mêmes*, Hors d'atteinte, 2020.

une force que je produis, qui circule et me traverse, comme de l'eau avec laquelle jouer, naviguer, me propulser. Et qui m'a aussi conduite à expérimenter d'autres relations de séduction, au-delà du script tant convenu de l'homme-qui-propose-la-femme-qui-dispose ; et donc de vivre des histoires plus surprenantes, plus ludiques, plus intéressantes pour tout le monde.

Ce ne sont que des pistes et pas des prescriptions ; il ne s'agit pas de remplacer de vieilles injonctions par d'autres ; juste d'ouvrir des fenêtres, de respirer un peu mieux, de renverser les perspectives, d'élargir le champ des possibles. Je ne dis pas non plus que des pratiques sexuelles alternatives soient des antidotes au sexisme ; être un champion de l'orgasme prostatique ne signifie pas qu'on se soucie du désir de sa partenaire, ce n'est pas parce qu'on pratique la sexualité non pénétro-centrée qu'on n'est pas un harceleur, etc.

Au-delà des réflexions sur la masculinité, la pratique et les réflexions féministes me semblent ouvrir de nouveaux horizons, une révolution de notre manière d'envisager toutes nos façons d'être en relation les un·es avec les autres. Nous invitent à comprendre que faire preuve de sollicitude, de tendresse, d'empathie, ne devrait pas être réservé à un genre. À faire exploser la rigidité de nos catégories relationnelles, entre hétérosexualité/homosexualité, amour/amitié, ou... légitime-couple-amoureux d'un côté et méprisables-plans-cul de l'autre. Cette expression m'a toujours semblé atroce ; comme si la tendresse, l'intimité, et même l'amour ne pouvaient être vécus qu'en couple. Comme si on pouvait vraiment caresser la peau d'un·e inconnu·e sans en être un peu ému·e. Comme si le sexe avec quelqu'un avec qui on ne veut pas s'engager ne pouvait impliquer aucun véritable respect. Parfois je me dis qu'on manque terriblement de modèles relationnels vivables ; qu'on appelle amour n'importe quoi (la jalousie, la possession, la violence), et qu'on refuse de reconnaître l'amour là où il est. Mais je m'éloigne et ça sera, je l'espère, l'objet d'un autre livre, une sorte d'éthique féministe de l'amour, de l'amitié et du désir.

Enfin, tout en m'enthousiasmant pour la réinvention de la séduction, du désir et du plaisir, je dois reconnaître à quel point c'est difficile, et combien les obstacles sont nombreux. Tout réinventer demande du temps, de la disponibilité émotionnelle, et des partenaires qui partagent cette envie – beaucoup de conditions qui ne sont pas aisément réunies dans les vies que nous menons (parce qu'on travaille trop, parce qu'on est seul·es, parce qu'on a autre chose à faire). Je sens aussi à quel point nos désirs peuvent être irrationnels, subtils, fragiles, je sais que parfois ils nous dépassent et jouent contre nos propres intérêts objectifs (salut, les féministes amoureuses de machos) ; même quand on veut très fort réfléchir autrement, même quand on en est parfaitement conscient·es (salut, les hommes alliés des féministes qui m'écrivent qu'ils sont excités par la soumission des femmes). Moi aussi je me débats avec tout un tas de limites dans ma propre vie, je vis des conflits entre mes idéaux féministes et ma vie amoureuse. Je repense à cette remarque de Martin Page qui, malgré tout son travail de réflexion sur la pénétration, reconnaît que si intellectuellement il accepte l'idée d'être lui-même pénétré, il n'en a pas envie. À ces messages d'auditrices qui m'écrivent, perplexes, qu'elles ont beau être super féministes, rien ne les excite plus que d'être sexuellement humiliées. C'est le sujet de nombreux messages envoyés par les auditeurices : de quelles façons nos idéaux égalitaires peuvent-ils se traduire concrètement dans nos vies intimes, sexuelles, et amoureuses ? Est-ce possible ?

Je n'en sais rien. Je n'ai pas la solution. Je me dis qu'au lieu de lutter frontalement contre ses propres désirs, on peut jouer avec, les infléchir tout doucement, y réfléchir, en faire la généalogie, la cartographie[133]. Je sais que pour l'instant, à l'aube des années 20 du troisième millénaire, on en est là, collectivement : on grandit dans une culture où on apprend à trouver excitant le non-consentement, à érotiser la soumission (voire l'humiliation) féminine, à considérer que le couple "normal" est hétérosexuel et monogame. Et que cela a des effets extrêmement profonds et puissants dans nos propres psychés. Je sais qu'on ne contrôle pas tout, dans sa vie, et je ne pense pas que ça soit souhaitable.

Je tente de l'accepter, tout en me disant que ces limites sont temporaires, qu'elles se déplaceront avec le temps ; d'accepter même que, peut-être, nous ne serons jamais en mesure de les dépasser de notre vivant, que les nouvelles générations s'en chargeront. Et je me dis que, si tout le monde n'a pas l'envie, les moyens ou le temps de faire ce travail, d'autres, des aventurier·ères, des utopistes et des artistes de l'amour, du désir et de la séduction, sont en train de faire émerger de

133. Comme le propose Claire Richard dans un texte magnifique, *Les Chemins de désir*, Seuil, 2019.

nouvelles pratiques, de nouveaux territoires. Et ça me réjouit. Je tiens d'ailleurs à saluer tout le travail effectué sur ces sujets par la pionnière Maïa Mazaurette, qui depuis des années publie des livres et des chroniques aussi drôles que pertinents ; mais aussi, plus récemment, le travail de toute la vague des nouvelles sexploratrices : les fabuleux dessins de Jüne sur son compte Instagram @jouissance.club, les vidéos éducatives de Diane de *Sexy Soucis*, les podcasts intimes de *Me, My Sexe and I* d'Axelle Jah-Njiké, les documentaires sonores d'Anouk Perry, la série *Clit Revolution* d'Elvire Duvelle-Charles et Sarah Constantin… et tant d'autres !

L'éducation des garçons

Parce que les modèles sexistes viennent de très loin et se perpétuent de génération en génération, agir dès le plus jeune âge sur l'éducation des garçons semble fondamental pour tout changement durable des comportements. « Je suis heureuse que nous ayons commencé à élever davantage nos filles comme nos fils, écrit encore Gloria Steinem, mais cela ne marchera jamais tant que nous n'élèverons pas davantage nos fils comme nos filles. »

L'ouvrage le plus complet et le plus enthousiasmant que j'ai lu sur ce sujet a été écrit par Aurélia Blanc, autrice de *Tu seras un homme féministe, mon fils !*[134]. Je l'ai invitée dans l'épisode 36, *J'élève mon fils*, et ensemble nous avons examiné les différentes possibilités pour les parents – et plus largement la famille – d'influer sur l'éducation des

134. Éditions Marabout, 2018.

garçons. Le plus utile et le plus efficace, ce serait donc d'aller lire le livre d'Aurélia Blanc pour y trouver les réponses aux questions que vous vous posez (et à celles que vous ne vous posiez pas forcément). Mais je vais quand même présenter ici quelques-uns des principaux conseils qu'elle propose aux parents.

Prendre conscience de ses propres biais sexistes

On pense souvent être un bon modèle – on voit les efforts que l'on fait, et on a tendance à plus craindre les influences extérieures (l'école, les amis, la société...) que l'exemple qui vient de nous. Sauf que la plupart de nos propres stéréotypes, nous en sommes bien souvent inconscients. Il faut donc questionner ses automatismes, ses réflexes : par exemple, le fait de parler différemment à sa fille et à son fils. On peut se poser la question des compliments qu'on fait à son fils ; est-ce qu'on a les mêmes attentes pour les deux ? « Si mon fils met de l'eau partout dans la salle de bains, est-ce que je vais le réprimander aussi fort que si sa sœur avait fait de même ? On sait qu'on va beaucoup plus tolérer l'agitation et le bruit chez les garçons. Le but n'est pas de s'auto-flageller en permanence, mais de débusquer de petits automatismes sexistes qui se mettent en place sans qu'on s'en rende compte », détaille Aurélia Blanc.

Au lieu de complimenter les garçons sur leur force ou leurs muscles (*Qu'est-ce que t'es costaud, dis donc !*), on peut mettre en valeur le fait qu'ils soient bien habillés, ou qu'ils prennent soin d'eux.

Regarder différemment les jouets et les vêtements

L'idée n'est pas d'interdire aux garçons de jouer aux petites voitures, mais d'accepter tranquillement qu'ils jouent avec ce qu'ils veulent.

Une astuce classique pour répondre à celleux qui disent qu'un jouet est "pour les garçons", est de leur demander ingénument : *Ah ? Est-ce que ce jouet suppose d'utiliser ses parties génitales ? Si oui, ça n'est probablement pas un jouet pour les enfants.*

... Et le même raisonnement vaut pour les vêtements ! Il n'existe aucune loi fondamentale qui pose que le rose est pour les filles et le bleu pour les garçons. Il est d'ailleurs des époques où le rose était masculin : de nombreuses peintures de la Renaissance figurent des hommes de pouvoir ou des guerriers dans des tuniques qu'aujourd'hui on réserverait à Barbie.

Qu'il s'agisse des jouets ou des vêtements, on n'a jamais autant "genré" les enfants qu'aujourd'hui, et de plus en plus tôt – pour des raisons essentiellement marketing. On peut souligner l'initiative de la créatrice du blog *Maman, Rodarde !*, qui a glissé dans le sac à dos de son fils des dépliants incroyablement malins allant à l'encontre des stéréotypes de genre (oui les hommes peuvent mettre du vernis / avoir les cheveux longs / pleurer…), même pour les enfants qui ne savent pas lire.

Avec les autres adultes, mettre en avant l'intérêt de l'enfant

Personne n'a envie de s'entendre dire qu'il a eu des paroles ou une attitude sexistes. Plutôt que rembarrer vertement l'assistante maternelle, baby-sitter, grand-père ou professeur qui trouve que ce garçon *aime beaucoup jouer à la dînette, quand même,* Aurélia Blanc suggère par exemple de faire valoir qu'il est important que les enfants puissent jouer aux jeux qui leur plaisent. On peut aussi rappeler aux enseignant·es que l'ambition d'une éducation égalitaire entre les filles et les garçons est l'un des objectifs de l'Éducation nationale. Quand on est parent·e d'élève, ou membre d'une crèche associative, on peut proposer que les professionnel·les fassent une formation aux questions de genre.

Les dessins animés, les livres et les chansons

Plutôt que d'interdire certains contenus culturels, on peut tout simplement regarder avec l'enfant, et en discuter avec lui ou elle, en se posant des questions comme : *Y a-t-il une vraie mixité des personnages ? Quelle place occupent les filles et les garçons dans l'histoire ? Sont-ils restreints aux assignations traditionnelles ? Comment sont décrits les personnages masculins ? Est-il forcément fort, malin, courageux ?* Le livre d'Aurélia Blanc conseille par ailleurs des listes de livres, films ou dessins animés.

Avec des enfants qui ne savent pas encore lire, on peut aussi changer le genre du personnage principal de l'histoire (en faire une fille si c'est un garçon "très courageux", par exemple). On peut proposer à l'enfant le panel le plus large possible d'activité, et l'amener peut-être vers des activités mixtes – l'escalade, le roller, la gym…

Les émotions et l'éducation sexuelle

Exprimer ses propres émotions, apprendre à l'enfant à nommer les siennes… quand on n'a pas les mots, c'est difficile de les identifier.

L'éducation sexuelle commence par une éducation à l'intimité : on peut apprendre aux enfants à nommer les parties de leurs corps, notamment leur sexe : pénis, testicules, vulve. Arrêtons de demander aux enfants de faire des bisous et des câlins quand ils n'en ont pas envie, c'est le début d'une éducation au consentement. Ça n'empêche pas d'être poli·e, de dire bonjour avec la main par exemple, ou d'envoyer des bisous en l'air !

Comment être un allié ?

On me demande très souvent comment être un meilleur allié. De nombreuses pistes ont déjà été évoquées dans le livre. Même si je ne suis pas sûre que ce soit (encore) aux femmes de fournir aux hommes le mode d'emploi, je vais néanmoins prolonger rapidement ces quelques pistes ici.

À la lumière de ce que l'on sait sur les mécanismes de domination, chacun peut à son niveau évaluer ce qu'il peut immédiatement changer, dans tous les domaines, des détails les plus triviaux (qui fait la vaisselle ?) aux plus intimes (qu'est-ce que je désire et pourquoi ?). Prendre conscience de ses privilèges, et de la façon dont on bénéficie plus ou moins directement du travail gratuit effectué par les femmes : tout cela permet d'imaginer immédiatement ce qu'on peut mettre en place dans sa propre vie. Chacun trouvera comment appliquer ces principes selon sa position spécifique – vous n'avez pas le même pouvoir si vous êtes à la tête d'une entreprise de 10 000 salarié·es ou si vous êtes étudiant.

On peut aussi dire que devenir un allié, c'est vouloir que les femmes aient plus de pouvoir ; et si vous voulez que les femmes aient vraiment plus de pouvoir, il faut renoncer en partie au vôtre. C'est ce que souligne le chercheur australien Anthony McMahon lorsqu'il émet l'hypothèse que le féminisme pose aux hommes une question non pas psychologique mais politique :

> *« Sommes-nous prêts à abandonner notre pouvoir masculin, nos privilèges et notre capacité de nous approprier des femmes et leur force de travail émotionnel et physique ? Bref, sommes-nous prêts à ce qu'il n'y ait plus de différences entre les sexes en termes de pouvoir, richesse, ressources, travail, etc. ? Sommes-nous prêts à ne plus être des hommes, mais seulement des êtres humains comme les autres qui ne seraient pas supérieurs en raison de leur sexe ? Sommes-nous prêts à considérer la combativité, l'autonomie, la solidarité et l'entraide comme des valeurs ou des attitudes humaines, et non pas masculines ou féminines ? Sommes-nous prêts à considérer que les tâches de travail ne sont pas assignées à des sexes, mais à des capacités humaines que les hommes comme les femmes peuvent avoir, ou pas ?* [135]»

Devenir un allié est un processus (comme devenir féministe), un travail jamais achevé, toujours à réajuster. On rappellera que, dans ce domaine comme dans tant d'autres, il ne suffit pas de le dire pour l'être ; on a vu des hommes s'autoproclamer féministes et se rendre coupables d'actions extrêmement violentes envers les femmes (on peut penser à ce député écologiste qui posait avec du rouge à lèvres pour la journée internationale des droits des femmes, et s'est révélé être aussi un harceleur et un agresseur sexuel). Il faut donc vous engager dans une démarche de "*disempowerment*", comme le propose le militant proféministe Francis Dupuis-Déri :

135. Anthony McMahon, « Lectures masculines de la théorie féministe : la psychologisation des rapports de genre dans la littérature sur la masculinité », *L'Homme et la société*, 2005.

> *« Le disempowerment des hommes n'implique pas de réduire notre capacité d'agir ou d'être moins confiants et moins puissants en tant qu'êtres humains, mais en tant qu'hommes et donc en tant que membre de la classe dominante et privilégiée dans le patriarcat. L'engagement des hommes dans un processus individuel et collectif de disempowerment consiste à réduire le pouvoir que nous exerçons individuellement et collectivement sur les femmes, y compris les féministes. »*

Même si, comme le fait remarquer Christine Delphy, il y a des privilèges qu'on ne peut pas, matériellement, abandonner :

> *« Admettons même qu'un homme ne cherche pas à tirer tout le parti de ses avantages à tous les niveaux et des désavantages à tous les niveaux de la femme qu'il a en face de lui. Admettons qu'il veuille poser la relation comme égalitaire. Qu'est-ce que cela signifie ? Tout au plus qu'il ne poursuivra pas son avantage volontairement, c'est-à-dire qu'il n'utilisera pas volontairement son avantage initial pour en obtenir d'autres. Mais à cet avantage initial il ne peut renoncer, parce qu'il ne peut à lui tout seul supprimer, détruire ce qu'il n'a pas fait. Et pour la même raison, il ne peut pas plus supprimer les désavantages institutionnels de la femme.[136] »*

Je laisse aussi de côté la question, longuement débattue, qu'on me pose souvent, de savoir si en tant qu'homme il vaut mieux se revendiquer "féministe", "proféministe", "allié des féministes" – je n'ai pas d'opinion sur la question. Le plus important, me semble-t-il, c'est de tenter de mettre en cohérence ses principes et ses pratiques.

Détailler toutes les façons dont on peut être un allié demanderait un ouvrage entier, je vais donc brièvement résumer les axes de réflexion qui me paraissent importants ici, et qui ont été inspirés d'hommes proféministes ayant longuement réfléchi à ces questions, comme Francis Dupuis-Déri (*Petit guide du « disempowerment » pour hommes proféministes*, 2014) et Yeun Lagadeuc-Ygouf (*Être « allié des féministes »*, 2019). Je conseille vivement la lecture de leurs deux textes, en accès libre sur Internet.

136. Christine Delphy, *L'Ennemi principal : Économie politique du patriarcat*, Syllepse, 2002.

Apprendre et s'éduquer

Les ressources féministes sont innombrables – documentaires, films, brochures, essais, podcasts... et beaucoup sont en accès libre sur Internet. Il s'agit d'apprendre sur la situation des femmes, l'histoire du féminisme, les enjeux de discussion. Bref, ne pas ignorer le sort de la moitié de la population mondiale ; autrement dit, se renseigner sur les violences obstétricales, sexuelles, les règles... et ne pas considérer que ce sont des sujets réservés aux femmes.

Au-delà des matériaux militants, je pense qu'il est aussi bénéfique de réévaluer ses pratiques culturelles. Par exemple, en se rendant compte que sa bibliothèque ne contient que des romans écrits par des hommes, on peut décider de lire plus de romans écrits par des femmes (et ça vaut pour les séries, la musique, les films, etc.)

Ne pas réclamer de cours particuliers des femmes féministes ! Je reçois ainsi régulièrement, comme toutes les féministes, des messages d'hommes me demandant de leur faire des listes de livres, de ressources. Cela part d'une bonne intention de leur part, mais je suis toujours étonnée qu'ils ne pensent pas à chercher tout seuls.

Combattre dans son propre cercle

Que ce soit avec vos collègues, vos ami·es, vos employé·es, votre famille, vos camarades du club de sport : parce que vous êtes un homme, votre parole a du poids. Utilisez votre privilège pour exposer, confronter, briser la solidarité masculine ! Vos amis sexistes vous écouteront plus volontiers si vous intervenez, vous, que des femmes qui leur diraient exactement la même chose. Vous pouvez aussi être un exemple, comme le dit Yeun Lagadeuc-Ygouf : « Nos choix de vies ou nos activités d'alliés doivent être des formes d'illustrations pour inspirer d'autres hommes. Notre travail est de pousser d'autres hommes à devenir des traîtres à leur classe de sexe et à se désolidariser publiquement des forces de l'ordre masculin. »

Écouter, plus que parler

J'ai vu des hommes proféministes se mettre en colère quand on leur faisait remarquer que leurs propos, ou leur attitude, étaient problématiques. Je sais qu'il n'est agréable pour personne de se faire reprendre, mais les féministes ont souvent de bonnes raisons de le faire. Ne pas prendre trop de place. Ne pas se réapproprier les idées, les travaux, les projets des femmes et des féministes sans les citer. Ne pas "mecxpliquer" leur combat aux féministes : c'est très pénible d'entendre des hommes peu éduqués sur le sujet donner des leçons sur la meilleure façon de combattre le patriarcat.

S'engager comme auxiliaire

De nombreuses associations féministes sont mixtes. Yeun Lagadeuc-Ygouf a ainsi effectué pendant plusieurs années un travail d'"auxiliaire" pour l'association Questions d'égalité : « Il s'agit de faciliter matériellement les activités féministes, explique-t-il : affichage, relais d'informations sur Internet, courses diverses, permanences, soutien administratif, édition de documents, financement de projets, etc. Les possibilités de faire des choses ne manquent pas. »

Et si on ne peut pas s'engager directement, on peut au moins donner de l'argent aux associations féministes, qui sont chroniquement sous-dotées par l'État.

Et la non-mixité masculine ?

On pourrait imaginer que les hommes se réunissent entre eux pour parler de problèmes qui les concernent spécifiquement. C'est d'ailleurs ce qui s'est passé dans les années 1960 et 1970, où des groupes d'hommes non mixtes se sont formés sur le modèle des groupes de consciences féministes, avec une intention louable : réfléchir à la condition masculine, dans une perspective féministe, en Europe et en Amérique du Nord. Ils voulaient réfléchir entre eux à leur rôle dans les violences sexuelles, la contraception, la façon dont la domination masculine pesait aussi sur eux. Sur le papier, ça paraissait être une excellente idée. Hélas, l'expérience a montré que ces groupes avaient inexorablement tendance à connaître des dérives misogynes, voire, paradoxe ultime, à se transformer en mouvements masculinistes.

Pourquoi ? La non-mixité quand on est dominant·es n'a pas la même signification que quand on est dominé·es. Le chercheur Léo Thiers-Vidal a assisté et participé à de nombreux groupes proféministes non mixtes dans différents pays. Son analyse est sévère : même lorsqu'ils sont animés des meilleures intentions, la tendance de la prise de parole de leurs participants est :

> « *Un égocentrisme affectif et psychologique [qui] s'exprime avant tout par un refus d'empathie envers les femmes. Toute évocation de la violence faite aux femmes par les hommes [...] est détournée de multiples façons : soit elle sert à évoquer leurs propres souffrances ("mais moi aussi, je souffre"), soit elle est rejetée sur d'autres hommes ou un quelconque système les dépassant (masculinité hégémonique, patriarcat), soit elle est retournée contre les femmes ("mais elles doivent bien y trouver quelque chose, non"), soit elle est évacuée par une autoculpabilisation permettant de rester centré sur soi-même ("c'est affreux, je souffre d'être dominant").*[137] »

Je ne sais pas comment un groupe non mixte d'hommes pourrait éviter ce genre de dérives, mais je suis assez pessimiste sur la possibilité que cela arrive. J'aimerais qu'il en soit autrement, mais pour l'instant l'expérience nous montre bien que, quand les hommes décident de se réunir entre eux, en non-mixité, pour parler de "leurs problèmes", il vaudrait mieux se méfier. Je ne doute pas que cela puisse leur procurer un certain bien-être psychologique, mais je doute personnellement de l'efficacité politique de ce genre de groupes pour combattre le sexisme et se battre pour plus d'égalité entre les hommes et les femmes.

Enfin, même si ces expressions sont de plus en plus répandues, je doute de l'utilité de chercher à définir une "masculinité saine" ou "positive" ; je me méfie des "nouvelles masculinités" et des dénonciations de la "masculinité toxique". J'ai l'impression que ces discours nous conduisent à reproduire des hiérarchies et ne sont pas utiles pour démonter les structures du pouvoir.

Et je me demande même, puisque la masculinité est une construction qui (re)produit le privilège, l'exploitation et la violence, si l'esquive ultime ne serait pas celle à laquelle nous invite, de façon provocante, le militant John Stoltenberg[138] : refuser d'être un homme. Pour enfin inventer autre chose, d'autres manières plus heureuses et plus justes d'habiter le monde, de vivre, et d'être en relation les un·es avec les autres. Car j'en suis convaincue : quel que soit notre genre, nous

137. Léo Thiers-Vidal, « De la masculinité à l'anti-masculinisme : penser les rapports sociaux de sexe à partir d'une position sociale oppressive », *Nouvelles questions féministes*, 2002.
138. John Stoltenberg, *Refuser d'être un homme*, Syllepse, 2013.

pouvons ensemble être des camarades de lutte contre l'ordre sexiste, et contre tous les ordres de domination. Nombreux aujourd'hui sont les hommes, célèbres ou inconnus, qui par leurs actes, leurs pratiques, la façon dont ils mènent leurs vies, cherchent à devenir des alliés, des camarades, des modèles. Cela me réjouit.

Et mon souhait le plus cher est qu'ils soient de plus en plus nombreux.

POUR ALLER PLUS LOIN

- *La Salope éthique*, de Dossie Easton et Janet Hardy (Tabou)
- *L'Amour après #Me Too*, de Fiona Schmidt (Hachette)
- *Les Hommes veulent-ils l'égalité ?*, de Patric Jean (Belin)

C'est aussi ce à quoi nous invite par toute sa pensée et sa vie, avec sa sagesse radicale et incarnée, le philosophe Paul B. Preciado, que j'ai reçu dans les épisodes 40 et 41. Je lui laisse donc la parole dans les pages suivantes.

Cours particulier avec Paul B. Preciado

Paul B. Preciado est né en Espagne dans les années 1970 sous le prénom de Beatriz. Depuis longtemps militant de la cause queer, il est devenu officiellement de genre masculin en 2016 et se définit comme « transfuge de genre » et « dissident du régime de la différence sexuelle ». Philosophe et commissaire d'exposition, il a notamment écrit *Manifeste contra-sexuel*, *Testo Junkie : sexe, drogue et biopolitique*, et *Pornotopie : Playboy et l'invention de la sexualité multimédia*. Il tient une chronique régulière dans le journal *Libération* – récemment réunies dans le recueil *Un appartement sur Uranus : Chroniques de la traversée*.

Recevoir Paul B. Preciado, c'était d'abord un honneur. La lecture de ses textes faisait chaque fois sur moi l'effet d'une bombe. À la fois poétiques et fondamentalement incarnés, toujours politiques, ils déploient une pensée singulière et révolutionnaire sur le genre et les masculinités, et nous invitent à penser très loin des catégories qui nous semblent évidentes. Autant dire que je n'en menais pas large quand il est entré dans le studio Virginie Despentes, un après-midi d'avril. Deux heures plus tard, j'étais épuisée, heureuse et bouleversée. L'entretien témoigne de cette urgence du dialogue, je crois, et du plaisir que j'y ai pris (même si je le regrette, je lui ai tout le temps coupé la parole, trop pressée de poser de nouvelles questions, encore et encore). Quelques heures plus tard, sur mon tapis de yoga, je sentais que la puissance de sa pensée avait, d'une façon indescriptible, modifié la perception que j'avais de mon propre corps. C'est de ce jour que j'ai d'ailleurs adopté définitivement pour mantra personnel cette simple phrase : « Je suis vivante. » Merci à lui.

Vous écrivez que vous vous tenez aujourd'hui « à la frontière », sur le perron de la langue, du genre et de la sexualité. Comment voit-on le monde quand on est en équilibre sur cette frontière ?

En réalité, je ne suis pas sûr d'être toujours

à la frontière... car notre société très binaire nous pousse souvent à être d'un côté ou de l'autre. Quand on devient trans, on est aussi forcé par un régime politique à choisir un camp, et on devient beaucoup plus conscient de ces frontières entre les genres. Comme si, tout à coup, on voyait autour de nous une gigantesque cartographie des frontières – celles du genre, de la sexualité, des sexes, de la race ou du handicap : elles sont constantes, et elles sont partout. Maintenant je suis conscient de les traverser en permanence. Mais bien sûr, pouvoir traverser une frontière, c'est déjà une chance, c'est une forme de pouvoir : cela signifie que l'on n'est pas assigné à résidence.

Le binarisme de genre, dites-vous, occupe aujourd'hui une place comparable à celle de la religion au Moyen Âge : quiconque ose le remettre en question est qualifié d'hérétique !
Entre le XVe et le XVIIIe siècle, l'épistémologie religieuse a été déplacée par le discours scientifique. On pourrait penser que c'est un progrès, un chemin vers la rationalité, sauf qu'on sait que cette épistémologie scientifique était aussi au service de l'expansion du capitalisme colonial et hétéro-patriarcal, qui a inventé les notions modernes des différences de race et de sexe. Cette épistémologie n'est pas simplement un système de représentations, mais aussi une hiérarchie des pouvoirs, un régime politique. « L'hétérosexualité, disait Monique Wittig, ce n'est pas une orientation sexuelle, c'est un régime politique », un régime dans lequel les hommes sont encore les seuls corps à être reconnus comme de véritables sujets souverains. Lutter contre ce régime implique de s'opposer aussi parfois à la science : c'est ce qu'ont fait certaines féministes à partir des années 1970. Les travaux d'Evelyn Fox Keller, de Londa Schiebinger, et surtout ceux de Donna Haraway ont été très importants à cet égard, avec leur déconstruction féministe des discours scientifiques. Pour leur part, Patricia Williams, Saidiya Hartman ou Angela P. Harris ont contesté la notion prétendument scientifique de race. Aujourd'hui, personne n'oserait plus parler de la race comme d'une notion scientifique ! De la même manière, avec les études queer et transféministes, on est en train de contester aujourd'hui le binarisme sexuel et du genre comme une vérité scientifique.

Vous êtes un homme trans mais vous précisez toujours que ce n'est pas votre identité, parce que l'identité ne vous intéresse pas. Vous ne voulez pas de révolution identitaire.
Je ne pense pas que l'identité puisse être le lieu à partir duquel on peut construire la lutte politique. C'est une différence fondamentale avec les mouvements nationalistes ou d'extrême droite d'aujourd'hui, qui cristallisent des notions d'identité très fermées à partir desquelles ils construisent leur imaginaire et leur action politique. Pour moi, l'identité est un effet rétroactif des appareils de pouvoir. J'étais assigné femme à la naissance, oui, mais femme n'est pas du tout mon identité. Tout mon exercice vital est un exercice de désidentification.

Mais il y a quand même des différences entre les hommes et les femmes ?
Oui. Mais l'identité n'est jamais une essence : c'est toujours une relation. L'identité sexuelle, c'est une fiction politique. Bien sûr, on me

dira que quand on est une femme noire et migrante, il n'est pas question d'histoire ni de fiction politique, que les femmes racisées sont constamment renvoyées à cette identité-là. Des affirmations hyper identitaires peuvent être des stratégies de résistance politique. Par exemple, un mouvement trans ou un mouvement des femmes racisées européennes peut être, à un moment donné, indispensables comme instrument de lutte, de survie, de production d'une forme de connaissance et de discours. Mais là où cela devient intéressant, selon moi, c'est lorsque cette définition est aussi un processus de désidentification, et pas seulement un processus de renaturalisation des identités. L'objectif de tout mouvement politique, qu'il soit féministe ou autre, est précisément la transformation du sujet qui réalise cette émancipation. Par exemple, l'objectif du mouvement ouvrier est, entre autres, de transformer l'ouvrier, parce que si c'est pour le laisser exactement tel qu'il est dans une relation de subordination avec la machine, le travail ou les moyens de production, alors je ne vois pas pourquoi le mouvement ouvrier est là pour lui. En d'autres termes, si ça ne sert pas à danser ou à baiser avec la machine, à transformer totalement la relation que nous avons avec elle, je ne vois pas à quoi peut servir la révolution ouvrière. Et avec le féminisme, c'est la même chose : si cela ne sert pas à transformer le sujet qui le pratique, à quoi cela sert-il ?

Je reçois souvent des messages d'événements qui invitent à retrouver « sa part féminine », ou le « masculin sacré », comme s'il y avait une essence féminine et une essence masculine... Alors que tous les travaux que vous citez, et tout ce qu'on fait dans cette émission, montrent bien que cela n'existe pas.
Je vois les corps comme une archive politique vivante. Il existe un réservoir historique des représentations de la féminité de la masculinité, et ces représentations sont si anciennes, et tellement puissantes, qu'on ne peut pas fabriquer une subjectivité dissidente sans faire appel à ces représentations historico-politiques. Voilà pourquoi ce que vous faites est important : vous arrivez à glisser des discours dissidents à l'intérieur des médias, qui souvent ne font que reproduire les représentations normatives de la féminité et la masculinité.

Vos chroniques sont aussi celles de votre transition. En vous lisant, on apprend comment nos institutions traitent concrètement les corps qui échappent à la norme. Vous expliquez par exemple qu'en Espagne, pour changer de genre légalement, il faut qu'un médecin psychiatre reconnaisse que vous avez une dysphorie de genre – une forme de pathologie, donc. Et vous écrivez : « Nul ne me réclamerait un certificat psychiatrique si je désirais modifier la forme ou la taille de mon nez. Mais pour changer de genre, il faut demander la permission à papa. »
C'est cela. On a fait de l'expérience trans quelque chose de très, très marginal, comme s'il y avait vraiment un pourcentage infime de la population qui était trans. Je ne pense absolument pas que ce soit le cas. Je pense que la transsexualité est elle aussi l'effet d'un processus de régulation politique technique, comme la féminité cisgenre et la masculinité, c'est-à-dire qu'on n'est pas plus étrange quand on est trans. Notre société produit du

genre. En 2019, par exemple, nos passeports disent « masculin » ou « féminin », comme la religion, il y a quelques années, figurait sur les passeports espagnols, grecs ou turcs. Qu'est-ce que cela signifie ? Que l'assignation au genre masculin ou féminin précède l'acceptation d'un corps en tant qu'humain à l'intérieur de la société politique. Si vous n'êtes pas reconnu·e en tant que femme ou en tant qu'homme, vous ne pouvez pas accéder à la citoyenneté.
En tant que militant transféministe, je pense qu'aujourd'hui le combat central du féminisme devrait être de demander l'abolition de cette assignation de différence sexuelle à la naissance. Sans cette assignation, on n'aurait pas besoin de s'identifier en tant que trans, on n'aurait pas ces protocoles de traitement de l'intersexualité – protocoles extrêmement violents qui mènent à des mutilations génitales et des traitements hormonaux qui parfois durent toute la vie –, nous n'aurions pas besoin non plus de mariage entre personnes du même sexe ou d'homoparentalité car les différences entre les sexes n'existeraient pas en tant que catégories administratives et légales. C'est cette révolution institutionnelle-là qui fait peur, aussi bien à la droite néopatriarcaliste qu'à la gauche néolibérale.

On arrêterait donc de dire : « Bravo, c'est un garçon » ou « Bravo, c'est une fille » ?
On dirait : « Bravo, vous avez eu un corps vivant. » Mon combat philosophique vise à la reconnaissance des corps vivants en tant que vivants, dans une trame transversale très large qui comprend les humains, les animaux, tous les êtres vivants... et la planète dans son ensemble ! Ma critique de la logique d'identité, c'est que tout nous pousse à rendre notre vie la plus étroite possible : « Voilà, vous êtes une femme, soyez contente de l'être. » La question devrait plutôt être : Bienvenue au monde, vous êtes un corps vivant sur la planète Terre. Mais savons-nous ce que ça veut dire, être vivant ?

C'est vrai que tout votre livre se consacre à cette question. Vous aimez passionnément la terre comme être vivant. C'est aussi toute la question de la liberté.
Exactement. Le néolibéralisme a transformé la liberté en libre marché. Comme si, dans nos régimes démocratiques, la liberté se résumait à la liberté de produire et consommer. Je pense qu'il nous faut un nouveau discours de la liberté. Mon combat n'est autre que d'inventer des techniques spécifiques de fabrication de la liberté. Puisque la liberté n'existe pas, il faut l'inventer.

La rendre possible ?
Plus encore que ça : l'inventer ! Encore une fois, l'effet de notre régime épistémologique, c'est l'impossibilité de penser, d'imaginer et de désirer au-delà de ce régime. C'est là que la traversée trans est magnifique. Parce qu'une fois que vous êtes trans (sauf à être dans un processus de réassignation totale, où l'on affirme : maintenant je suis un homme et c'est tout), alors il faut accepter qu'effectivement on n'est pas un homme, on n'est pas une femme. Donc pas homo, pas hétéro... Même le terme de bisexualité devient absurde. C'est la condition même d'être vivant, et c'est la possibilité d'une ré-érotisation du monde, de pansexualité totale, y compris avec la nature.

Je trouve moi aussi souhaitable un monde où l'apparence de nos corps n'aurait plus

d'importance politique – où le genre, ou la forme de nos organes génitaux n'auraient même plus de pertinence. Et en même temps, je me demande : comment mener le combat politique si on dit que toutes ces catégories (femmes, hommes, homosexuels, hétérosexuels...) n'existent pas ?
Attention : je ne dis pas que ces catégories n'existent pas. Elles existent de fait comme matérialité biopolitique. Elles sont réelles, y compris dans les corps, comme un système de reconnaissance scientifique et politique. Ces fictions politiques ont été fabriquées tout au long de l'Histoire, elles ont établi un régime de pouvoir, avec des effets très concrets, des inégalités. Si l'on veut lutter contre ce régime de pouvoir, il va falloir défaire ces fictions politiques et en construire collectivement de nouvelles. Il ne s'agit pas forcément d'abolir les genres. Peut-être que la question, c'est de se demander ce qui se passerait si, au lieu de penser dans un système binaire, on se disait qu'il y a en fait dix ou quinze genres, par exemple. Comment cela changerait-il le réel ? Que deviendraient les institutions éducatives ? Que ferait-on de la prison, de l'hôpital, de l'institution psychiatrique, de l'Assemblée nationale ? J'appelle pour ma part à une alliance transversale des luttes somato-politiques. Ne nous limitons pas aux luttes catégorielles : les femmes pour le féminisme, les trans, les Noirs, les handicapés... Pensons plutôt à un statut des corps vivants, et établissons une alliance transversale des corps dissidents – tous ceux qui ne sont pas reconnus comme étant des citoyen·nes véritables. Une lutte dans laquelle on penserait plus aux relations et aux alliances qu'aux identités, pour rentrer dans une expérience planétaire de transformation politique.

Cela répond très bien à cette critique que j'ai entendue dans les milieux féministes contre le féminisme queer qui disait en substance : abolir les étiquettes n'abolit pas le problème.
Pour moi, masculinité et féminité ne sont pas des étiquettes. Ce sont des techniques d'inscription du genre, des systèmes de reconnaissance administratifs, légaux, politiques. Dès que vous mettez les pieds dans une institution, il y a un acte de reconnaissance, et à partir de là un ensemble de techniques de pouvoir, nomination, des techniques de production et de contrôle de la vie qui se mettent en place. Il nous faut donc inventer d'autres techniques, des contre-technologies, et résister aux techniques normalisantes pour inventer ce que j'appelle des techniques de subjectivation dissidente. Voilà pourquoi je fais appel à la littérature et à l'art, car le plus important c'est arriver à imaginer des autres modalités de production et reproduction de la vie possibles.

Cela semble si loin dans le futur, et si difficile à imaginer...
Et pourtant ce n'est pas le futur : c'est maintenant que ça se passe ! C'est important de le dire : il y a une révolution en cours, nous sommes en train de vivre une grande révolution planétaire, un changement total des paradigmes. Je pense que nous vivons un des moments historiques les plus complexes et les plus fascinants de l'Histoire. Et il faut dès aujourd'hui faire appel à l'utopie, à l'imaginaire et à la fiction, parce qu'on doit

absolument arriver à défaire les carcans de cette épistémologie normative... Autrement ça serait la fin de la vie « humaine » sur cette planète.

J'aimerais revenir sur la désidentification. Quand on est un homme, on peut se dire qu'on ne veut plus appartenir à ce système politique, mais suffit-il de le dire pour que ça fonctionne ? Je pense à cette scène dans une émission d'*Arrêt sur images*, qui a beaucoup été tournée en dérision sur Twitter, où Arnaud Gauthier-Fawas, de l'Inter-LGBT (qui organise la Marche des fiertés) s'affirme comme non-binaire...

Nous écoutons alors ensemble un l'extrait de l'émission en question.
Le présentateur, Daniel Schneidermann, constate en s'excusant qu'il n'y a que des hommes sur le plateau... Lorsque soudain intervient l'un des invités, lequel a la peau claire et porte une barbe. S'ensuit le dialogue suivant :

Daniel Schneidermann : Nous avons quatre invités, quatre hommes [...]
Arnaud Gauthier-Fawas : Ah, mais je ne suis pas un homme, monsieur.
D.S. : Vous n'êtes pas un homme ?
A. G-F : Ah non. Non. Je ne sais pas ce qui vous fait dire que je suis un homme, mais je ne suis pas un homme.
D.S. : Votre apparence.
A. G-F : Ah. Il faut pas confondre identité de genre et expressions de genre, sinon on va mal partir [...] Moi je suis non-binaire, donc ni masculin ni féminin, mais on me genre comme un homme.
D.S. : Comment vous définissez-vous ?
A. G-F : Comme non-binaire.

Un peu plus tard, un invité note que tout le monde est blanc sur ce plateau – et Arnaud Gauthier-Fawas réagit : « Ben non [je ne suis pas blanc]. Je suis à moitié libanais. »

J'avoue que cette scène me laisse perplexe. Je comprends que cet homme se dise non-binaire et non-blanc... Mais il me semble aussi que ces affirmations peuvent être retournées contre lui. On peut se dire qu'il bénéficie tout de même de tous les privilèges qui vont avec son apparence...
Le privilège, c'est se situer dans les lieux de l'universalité : ne pas être visible en tant qu'autre, ne pas être altérisé. Si constamment, tous les jours, cette personne dit : « Non, je ne suis pas un homme, non je suis pas blanc », quelque part il/elle est en train de troubler les systèmes de reconnaissance. Ce qui est sûr, c'est qu'il/elle a la possibilité de se situer soit dans la position normative, soit ailleurs. Alors qu'une personne qui est racisée à cause de la couleur de sa peau, par exemple, n'a pas ce choix. Elle est racisée tous les jours.

Elle sera plus contrôlée par la police, se verra peut-être refuser un emploi ou un logement, etc.
Oui. Je trouve néanmoins que l'attitude présentée dans l'extrait peut être une stratégie intéressante. Imaginez que toutes les personnes qui soi-disant ont la peau claire commencent par dire : « Moi je ne suis pas blanc », qu'ils le fassent en permanence, et que cette énonciation s'accompagne d'un ensemble de pratiques de résistance. Un énoncé peut être

déjà une forme d'action directe, une technique, la parole existe comme un système de rapports sociaux. Qui peut vraiment dire « Je ne suis pas blanc » ? C'est ça la question.

Oui ! On entend des gens dire : « Je ne suis pas blanc, je suis un être humain, et je suis un citoyen du monde, un humaniste... » J'ai reçu de nombreux courriers en ce sens. Donc, je me demande : comment fait-on pour se désidentifier concrètement ? Qu'est-ce que cela veut dire, et suffit-il de le dire pour que ça arrive ?

Dans les faits, non. Cet appel à l'universalité est souvent une forme de domination. Il cache une position hégémonique. Qui a le droit à l'universalité ? La désidentification passe par la reconnaissance de sa position de pouvoir. Il y a quelques années, mon passeport ne me reconnaissait pas comme homme alors que mon corps était en train de changer. Mais ça restait un passeport européen, je voyais bien que certains de mes amis ne pouvaient pas passer les frontières alors que moi je le pouvais : il y avait donc bien un privilège. Peut-être faudrait-il commencer justement par là, par la reconnaissance de ses privilèges. Quant à l'énonciation, c'est une pratique d'auto-affirmation, de résistance ou de rébellion, mais ce n'est qu'une pratique parmi d'autres. Si un homme se dit non-blanc mais conserve dans les faits des pratiques d'homme blanc, je dis qu'il peut se garder son énonciation, qu'elle ne m'intéresse pas. Mais si sa pratique dénote d'un vrai devenir-noir, une révolution, un déplacement radical, ou d'une vraie mise en cause des différences raciales, cela devient une technologie de soi, une fabrication totale de sa subjectivité. Et il faut commencer à le faire.

Et donc, même chose pour les genres. Si un homme qui était identifié comme cisgenre hétérosexuel dit : « Je veux me désidentifier, je ne suis pas un homme »...

... Alors cela met en jeu non seulement les lieux d'énonciation politique, mais toutes ses pratiques, ses désirs, et ses relations. Parce que s'il n'est pas un homme, alors il est peut-être ouvert aussi à coucher avec d'autres hommes qui ne sont pas identifiés en tant qu'hommes, il ne s'inscrira pas dans la chorégraphie sexuelle hétéro, etc. Ce sont des techniques de contre-fabrication de subjectivité qui vont venir avec ce discours. Après, si ce n'est qu'une énonciation...

... Ce ne serait qu'une posture – pour éviter d'être accusé, par exemple. Des hommes qui écoutent l'émission m'écrivent parfois en me disant : « Ça me fait horreur, tout ce que vous décrivez, moi je n'appartiens pas au groupe des hommes qui bénéficient des effets du viol, c'est une violence que vous me faites de le sous-entendre, je ne veux pas appartenir à cette classe-là, à ce sexe-là. »

Très bien. Alors qu'ils lancent un mouvement ! Un mouvement qui ne soit pas simplement une prise de position par l'énonciation, mais un ensemble de pratiques de résistance et de désidentification constante. Donc une déconstruction des rapports de pouvoir.

PROLONGATION

Merci à chacun·e des invité·es, qui ont donné de leur temps et de leur énergie pour expliquer leurs recherches à mon micro. Merci aux auditeurices de l'émission, pour leurs écoutes, leurs partages, recommandations, critiques et enthousiasmes. Merci à Adrian Delmer, Lolita Rivé et Élodie Tuaillon-Hibon pour leurs relectures. Aux Journalopes, merci ; à mes ami·es et à ma famille, merci, vous savez ce que je vous dois et comme je vous aime ; merci à mes deux grands-mères adorées, Odette Tuaillon et Maggy Jacquemin qui m'ont transmis par leurs gestes et tout leur être un peu de cette « culture féminine » souvent méprisée du soin, de la sollicitude et de la tendresse.

Ce livre a été écrit dans une petite maison de rêve avec chats, prairie et hamac ; merci à toustes celleux qui pendant cet étrange été berrichon m'ont encouragée, invitée à leur table, envoyé des messages de soutien, aidée à clarifier des arguments et remettre de l'ordre dans mes idées. Merci à mon éditrice, Karine Lanini, pour sa détermination, sa rigueur, sa patience et son extraordinaire accompagnement avant, pendant et après l'écriture.
Et à Bertrand Guillot, merci.

Voici, en plus de toutes les références que j'ai citées dans le livre, quelques-unes de mes œuvres préférées – essais, podcasts, romans, bandes dessinées, films et documentaires qui m'ont nourrie ces dernières années.

PODCASTS

- *Héroïnes de la rue*
- *Kiffe ta race*
- *La Poudre*
- *Mansplaining*
- *Miroir, miroir*
- *Un podcast à soi*
- *Yesss*

ESSAIS

- *Bad Feminist*, de Roxane Gay
- *Beauté fatale*, de Mona Chollet
- *Ces hommes qui m'expliquent la vie*, de Rebecca Solnit
- *L'Amour sous algorithme*, de Judith Duportail
- *Les Monologues du vagin*, d'Eve Ensler
- *Une chambre à soi*, de Virginia Woolf
- *Faiminisme*, de Nora Bouazzouni
- *Autobiographie*, d'Angela Davis
- *Notre désir*, de Caroline Emcke

ROMANS

- *Carnets de l'incarnation*, de Nancy Huston
- *Freedom*, de Jonathan Franzen
- *L'Idée ridicule de ne plus jamais te revoir*, de Rosa Montero
- *L'Œuvre de Dieu, la part du Diable*, de John Irving
- *La Condition pavillonnaire*, de Sophie Divry
- *La Petite Femelle*, de Philippe Jaenada
- *Le Carnet d'or*, de Doris Lessing
- *Les Années*, d'Annie Ernaux
- *Les Mémoires d'une jeune fille rangée*, de Simone de Beauvoir
- *Les Mots pour le dire*, de Marie Cardinal
- *Sans moi*, de Marie Desplechin
- *So Sad Today*, de Melissa Broder
- *Un été sans les hommes*, de Siri Hustvedt

FILMS

- *Boys Don't Cry*, de Kimberly Peirce
- *Jacky au Royaume des filles*, de Riad Sattouf
- *Je ne suis pas un homme facile*, d'Elonore Pourriat
- *Sauvage*, de Camille Vidal-Naquet
- *Tomboy*, de Céline Sciamma
- *Cléo de 5 à 7*, d'Agnès Varda

BANDES DESSINÉES

- *Les Culottées*, de Pénélope Bagieu
- *Pascal Brutal*, de Riad Sattouf

DOCUMENTAIRES

- *Les Invisibles*, de Sébastien Lifshitz
- *The Mask You Live In*, de Jenifer Siebel Newsom
- *À quoi rêvent les jeunes filles*, d'Ovidie
- *Ouvrir la voix*, d'Amandine Gay
- *Harcèlement sexuel au travail*, d'Andrea Rawlins-Gaston et Laurent Follea

AUTRES

- *Baf(f)e*, base de données féministe
- *Les Copines*, groupe Facebook
- *Cheek Magazine*
- *Les Glorieuses*, newsletter
- *Simonœ*, magazine féministe

CHANSONS

J'écoute de la musique toute la journée, et puisque seules 22 % des artistes streamées sur Internet sont des femmes, on a fabriqué avec ma consœure Juliette Livartowski une longue playlist où il n'y a que des femmes (taper « Zouz chill » dans Spotify).

COULISSES

On me demande souvent dans quelles conditions est fabriqué ce podcast, et comment je travaille, concrètement. D'abord, je veux souligner que depuis le tout début, je suis entièrement libre de décider des sujets et des invité·es de l'émission, dont je discute souvent, de façon informelle, avec David Carzon, le directeur de la rédaction, et avec toustes mes collègues de Binge Audio ; le choix des sujets est inspiré de la lecture des journaux, de l'actualité, de questions que je me pose moi-même, des réactions des auditeurices, de la publication d'articles universitaires ou d'ouvrages grand public.

Une fois le sujet et l'invité·e identifié·es, je passe plusieurs jours à lire tout ce que je peux trouver pour préparer l'entretien (j'essaie, dans la mesure du possible, de lire l'intégralité des publications de mon invité·e). L'enregistrement a lieu dans nos studios à Belleville, à Paris (on en a deux, le premier s'appelle le « studio Virginie Despentes », le deuxième le « studio Surya Bonaly »), orchestré la plupart du temps par Quentin Bresson, jeune réalisateur et ingénieur du son, qui est donc le premier auditeur de l'émission (dont les remarques et réactions me sont très précieuses). Nous passons ensuite plusieurs heures en montage tous les deux pour épurer et condenser les propos (ôter tous les "euh", les "bah", etc.), enlever les questions inutiles, ajouter des extraits et cette fameuse musique de générique (créée par Théo Boulenger). L'épisode est enfin mis en ligne, accompagné d'un article et de toutes les références citées pendant l'entretien – texte que j'écris généralement moi-même, corrigé par la cheffe d'édition de Binge, Camille Regache, avec qui nous discutons (parfois longuement !) du titre à donner à l'épisode et de l'illustration qui doit l'accompagner : et voilà comment il arrive sur vos plateformes de podcasts, téléphones, ordinateurs ou enceintes connectées.

L'émission n'aurait pas le même ton si elle n'était pas produite dans ces conditions : merci donc à toute l'équipe de Binge Audio – je me dis souvent que j'ai beaucoup de chance de travailler chaque jour avec des personnes aussi ouvert·es et drôles, dans une ambiance qui mêle fulgurances créatives, chahut crétin, discussions passionnées sur le monde dans lequel on vit et blagues à base de gifs animés, et qui me permet d'expérimenter chaque jour à quoi peut ressembler un espace de travail qui s'efforce d'être inclusif (même sur notre chat interne, on utilise des points médians, par exemple).

En commençant ce podcast, je n'avais pas imaginé qu'un jour il deviendrait un livre. C'est à force de lire et d'entendre des auditeurices m'en réclamer un (« on a envie de prendre des notes, mais pas le temps », « mes ami·es préfèrent lire plutôt que d'écouter ») que ce projet d'écriture m'est apparu nécessaire.

Frustrée alors que les discussions avec plusieurs éditeurs n'aboutissaient pas, la solution idéale m'a été soufflée un soir, au bureau, par Joël Ronez, l'un des deux fondateurs de Binge Audio (« Tu sais quoi ? on a qu'à le faire nous-mêmes, ce livre ») ; cela faisait un moment qu'il réfléchissait à la façon dont notre média pouvait devenir éditeur, vu le nombre et la richesse des contenus produits (18 podcasts, sur des thèmes, des angles et des sujets souvent ignorés des médias traditionnels…).

Peu de temps auparavant, j'avais rencontré une agente et éditrice indépendante, Karine Lanini, qui écoutait déjà le podcast : son enthousiasme et sa rigueur m'avaient donné très envie de travailler avec elle. En quelques jours, nous avons décidé que ce livre pourrait être financé par les futurs lecteurices, monté toutes les structures nécessaires (grâce à l'expertise de Gabrielle Boeri-Charles, co-fondatrice de Binge Audio) et discuté des grands principes du livre, son plan, sa maquette, ses illustrations (confiées aux graphistes de Upian, nos complices de toujours).

Quand la campagne de préventes a été lancée, je tremblais de crainte que nous ayons été trop ambitieux·ses ; mais la réponse des auditeurices a dépassé toutes mes espérances. Alors que le nombre de préventes augmentait de manière vertigineuse, je m'occupais de terminer les derniers épisodes de la saison du podcast et je réfléchissais à la meilleure façon de transformer toutes ces conversations en un livre. Nadia Chapelle, en stage avec moi depuis six mois, s'est occupée avec son sérieux habituel, en plus de toutes ses autres tâches, de faire les transcripts des entretiens, sur la base desquels j'allais travailler.

La campagne s'est terminée, les derniers épisodes ont été diffusés ;

j'ai pris la route toute seule, un soir de juillet, avec dans mon coffre plusieurs dizaines de kilos de la documentation amassée ces dernières années, à la fois terrifiée par l'ampleur de la tâche et galvanisée par les milliers de commentaires et marques de soutien des futur·es lecteurices : je savais qu'au moins 4000 personnes l'avaient commandé et l'attendaient, qu'il fallait le rendre dans les temps, trouver ce ton que je voulais "accessible et exigeant", un livre qu'on puisse lire, qu'on ait déjà écouté l'émission ou non. J'espère avoir tenu ma promesse. Je tiens donc pour terminer à remercier chacun·e des 1326 premier·ères souscripteurices de ce livre, qui l'ont commandé dans les trois premiers jours de la campagne – sans vous, ce livre n'aurait pas existé.

RÉALISATION : NORD COMPO À VILLENEUVE-D'ASCQ
IMPRESSION : PRINTER PORTUGUESA
DÉPÔT LÉGAL : OCTOBRE 2021. N° 149501 (XXX)
IMPRIMÉ AU PORTUGAL